La collection « Passages »
est dirigée par Jacques Michaud

D0348470

# Coupable d'être jumeau

# Vincent Théberge
## Coupable d'être jumeau

Vents d'Ouest

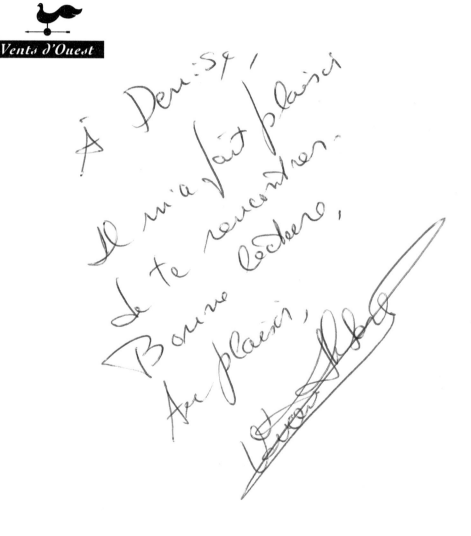

*Données de catalogage avant publication (Canada)*

Théberge, Vincent, 1943-
Coupable d'être jumeau
(Passages. Récit.)

ISBN 2-921603-34-9

I. Titre.   II. Collection.

PS8589.H4143C68 1996     C843'.54     C96-940796-3
PS9589.H4143C68 1996
PQ3919.2.T43C68  1996

Vents d'Ouest remercie le Conseil des Arts du Canada et la SODEC du soutien qu'ils lui apportent sous forme de subventions globales.

Dépôt légal  —  Bibliothèque nationale du Québec, 1996
                        Bibliothèque nationale du Canada, 1996

Révision : Micheline Dandurand

Éditions Vents d'Ouest inc.
67, rue Vaudreuil
Hull (Québec)
J8X 2B9
Téléphone :  (819) 770-6377
Télécopieur : (819) 770-0559

Diffusion : Prologue inc.
1650, boulevard Lionel-Bertrand
Boisbriand (Québec)
J7H 1N7
Téléphone :  (514) 434-0306
Télécopieur : (514) 434-2627

À mon jumeau éternellement

Remerciements :

Stéphane-Albert Boulais
Anne-Marie Gingras
Denis Larocque

# 1

# Le refus

À L'AUBE de mon premier souvenir, je ne présume pas.

J'affirme indéniablement l'incommensurable, car… j'y étais.

Je nous y vois encore très clairement.

Il fait noir, très noir.

Notre corps a de plus en plus peine à se mouvoir, à s'étendre, à vivre.

Notre univers s'oppose à une possible expansibilité.

Épuisés, nous nous laissons glisser lentement vers la lumière.

À première vue, tout n'est qu'éblouissement.

Nos yeux instinctivement refusent tant d'éclat.

Des mains nerveuses, froides par surcroît, s'emparent de notre corps et coupent notre seul lien avec la vie.

D'autres mains, ou les mêmes, nous soulèvent de par les pieds et nous frappent dans le dos.

Un bouleversement se déclenche en nous.

Tout alors s'accélère.

Notre âme se crispe de douleur.

La peau de nos tympans se tend, se tend encore, toujours davantage.

Un corps tout entier aux portes de l'explosion.

Une gorge simultanément au râle de la mort.

Tout se concerte.

Tout converge vers un point, à demi perçu, à peine circonscrit.

Presque nommé.

L'inquiétude.

# 2

# Stupéfaction

Nos poumons, bourrés d'air, à la limite de l'éclatement, poussent enfin un cri à la vie.

D'abord mêlé d'inquiétude et de soulagement, ce cri en devient vite un de stupéfaction et d'effroi.

Le temps de tendre les bras, de ne pas atteindre toutes les parties de notre corps.

Le temps d'entrouvrir quelque peu les yeux.

Le temps surtout de saisir partiellement cette trouble situation.

Une impression, un doute oppressé de questions, surgit.

Quelqu'un aurait-il donc profané notre corps?

L'a-t-il non seulement mutilé, mais serait-il allé jusqu'à le fragmenter?

À ce moment même, nous en percevons la totale certitude.

Oui! On a scindé notre entité corporelle.

Vivement, un grand vide recouvre notre épiderme, nous entre par tous les pores et assaille directement notre cœur.

Il fait froid, horriblement froid.

Une gelure, telle un bleu d'anéantissement, nous parcourt rapidement l'échine.

Pleuvant d'indignation, nos yeux se referment pour se sceller irrévocablement.

# 3

# Mille reflets

Nous tentons de soulever nos paupières.

Elles sont encore si lourdes.

Dès les premiers clignements, nous entrevoyons plus nettement une étrange luminosité.

Une lueur, toute teintée de mille reflets vaporeux et ondulants.

D'abord, force nous est de reconnaître que, de toute évidence, notre prière pour le grand scellement n'a pas été exaucée.

En effet, la grande hibernation, cette opération qui devait engourdir pour toujours notre épiderme, a dévié vers un quelque part, plus au sud.

Nous retournons en nous.

Une constatation, qui oscille entre l'hésitation et la résistance, nous saisit, nous secoue, frôlant l'effritement.

En effet, nous redécouvrons nos membres tout entiers, mais si mal soudés l'un à l'autre.

Comme transpercés à certains endroits de bouffées d'air glacial.

Nos éléments physiques ne se sont donc pas intégrés, ni en partie ni en absolu.

Des voix embrouillées, ultraprésentes depuis notre retour du trépas, chuchotent fébrilement dans la pièce.

Au-dessus de nous, un homme vêtu en long et de noir rend grâce à tous, aux dieux, aux cieux et à d'autres, de nous avoir arrachés à la mort.

— C'est un miracle ! murmure-t-il.
— Un miracle est parmi nous ! répète-t-on.

Des mains, tremblotantes de soumission et de reconnaissance, essuient notre tête imprégnée d'eau et d'huile.

— C'est le pouvoir sacré du saint-chrême et de l'eau baptismale, marmonne l'homme en se prostrant et en se signant.

Un soupir commun nous fait nous regarder, nous ébahir puis, du même coup, nous stupéfier.
Nous saisissons en un bref coup d'œil notre réalité entière, notre effrayante et implacable réalité.

En cet instant, l'horreur nous est faite chair.


# 4

# La dérive


NOTRE corps, celui qui s'est espéremment laissé glisser vers la lumière, s'est dédoublé à tout jamais.

Éloignés l'un de l'autre, nous devenons balbutiement, hésitation, errement.
Nous nous découvrons handicapés, pour maintenant à la dérive totale.

Nous voilà deux corps, en tous points identiques, à jamais désunis.

Deux organismes vivants, bien distincts, certes.

Mais deux êtres habités par une unique et indivisible âme.

Avec un seul objectif, capital.

Remonter le plus rapidement possible sans espoir de retour à l'ère amniotique.

S'y laisser glisser.

Et refermer hermétiquement l'écoutille.

La méfiance dès lors s'omniprésente dans notre âme et dans notre être.

L'esprit et la conscience postés sur leurs gardes.
Autant de vigiles en faction.

# 5

# Urgence

NOUS récupérons un à un nos esprits.

Malgré les bruits dans la pièce, nous parvenons à stabiliser le rythme de nos cœurs.

La reconcordance de quelques organes, surtout les plus vitaux, nous rassure.

Le plus urgent est de nous retrouver, de nous ressaisir, de nous refondre, nous-mêmes.

Nous ne pouvons plus compter sur personne.

Obéissant à une vague autorité, les témoins de l'amputation s'agitent tout à coup.

La vie se module tout autour de nous.

Les bruits se tamisent.

Ces mains, tout à l'heure si fébriles, se détachent doucettement de nos corps.

Les derniers chuchotements s'éloignent.

La chambre s'éteint.

Nous nous retrouvons enfin seuls.

L'un tout contre l'autre, l'un tout entier dans l'autre, baignant dans une confusion proche du désarroi, dans une méfiance en proie à l'inquiétude.

Le regret bien ancré, nous plongeons en nous pour nous remémorer le tendre temps d'antan.

Nos corps se réenlacent au gré de nos gestes et de nos caprices.

Nous persévérons à nous chercher, dans l'espoir de nous retrouver.

# 6

# Simultanéité

TOUT à coup, nous constatons une même faim nous tirailler, une même soif nous assaillir.

Et par-dessus tout, au simple regard, nous percevons une même lueur apparaître simultanément dans notre esprit.

Que les dieux et les cieux de l'homme-en-noir-et-en-long soient loués !

La simultanéité n'aurait donc pas été touchée.

Nous présumons que notre goût du sommeil demeure synchronisé.

Nous vérifions la consonance de nos pleurs.

Tout va !

Nous en déduisons que tous nos autres besoins répondent obligatoirement de nouveau à de communs impératifs.

Nous voilà rassurés.

Nous avons réussi malgré tout à nous reconstituer assez complètement, espérons-nous.

Nous concluons que le temps pendant lequel nous avons clos les yeux a été de courte durée.


# 7

# La distinction


POUR nous singulariser, notre grand-mère inscrit une croix majuscule à l'encre de Chine sur l'une de nos poitrines.

Pendant des mois, après chaque bain, elle redessine fidèlement ce sceau.

Elle utilise aussi des prénoms différents selon qu'elle s'adresse à l'un ou à l'autre.

Elle n'apprécie guère que sa propre fille veuille par un habillement identique nous exposer au danger de la confusion.

Elle est presque la seule à vouloir nous distinguer.

Toujours à la recherche de détails discordants.

Les autres ont vite renoncé à ces particularités.

Avec le temps, ils ne soulèvent plus nos vêtements pour savoir lequel d'entre nous porte l'empreinte.

Dorénavant, ils nous appellent simplement « le » ou « les » jumeaux.

Par délicatesse, certains s'enquièrent de nos prénoms.

Ils nous les adressent une fois et, par la suite, n'osent plus les utiliser.

Peut-être n'ont-ils pas la mémoire des noms?

Il nous est évident que, pour la plupart de ces gens, la distinction n'a pas d'importance.

Seule compte à leurs yeux comme seule les ébahit la similitude de deux corps.

D'autres insistent pour voir le signe cruciforme, sans se préoccuper du prénom qu'il officialise.

Ils partent rassurés.

Pour eux, quelqu'un veille quotidiennement sur notre dissemblance.

# 8

# Encensement

NOTRE grand-mère nous chantonne quelque berceuse.

Des curieux s'approchent.

– Ne vous interrompez surtout pas, nous ne voulons que voir.

La chanson se tait.
Un silence s'installe.

Un silence embarrassant pour les deux parties.
Quelqu'un pourtant ose le briser.
Celui-ci nous regarde à peine.

Il refuse ouvertement d'essayer de nous différencier.

– D'ailleurs, je n'en vois pas la nécessité, déclare-t-il.

Il n'en faut pas moins pour voir s'avancer les autres.

Ils ignorent qui est qui, comme si la marque distinctive ne signifiait rien.

Ils sont fiers de leur ignorance et, en chœur, l'affirment haut.

– Vous n'avez pas d'identité individuelle.

– Si l'un est vrai, l'autre ne peut être que le reflet de l'un.

– Vous êtes forcément moins que nous ou, tout au plus, de pâles portions d'existence.

– En vous résident l'atténuation, l'affadissement, voire l'effacement de l'identité et ce, par la faute et unique grande faute de votre multiplicité.

– Sans différence, il n'y a pas d'unité proprement dite, tout le monde vous le dira.

– Vous êtes les fruits accidentels d'une explosion encore plus accidentelle.

– Votre existence s'avère incertaine ou fort peu probable, concluent-ils en s'encensant mutuellement.

Étonnée, notre grand-mère regarde s'éloigner un à un ces badauds aux propos on ne peut plus confus.

En plus d'exposer une commune confusion et une égale fatuité, n'empruntent-ils pas une pareille démarche ?

N'arborent-ils point la même crinière ?

Ne portent-ils pas des vêtements, à deux ou trois détails près, tout à fait identiques ?

# 9

# L'infirmière

UNE infirmière passe nous voir religieusement.

Elle nous soupèse, nous mesure, nous analyse, nous scrute dans les moindres replis, nous dissèque presque.

Sa profession lui confère le droit et le devoir d'explorer entièrement nos corps.

Elle nous tâte les gencives, nous chatouille les orteils, nous cure le nombril, nous tripote les fesses et nous dégage le gland du prépuce.

Elle inventorie consciencieusement nos ressemblances, confirme notre similitude et, à la fin, nous déclare en excellente santé.

Cette dernière sentence remplit toujours de joie nos proches, particulièrement notre mère.

Chaque quinzaine, notre visiteuse nous pourvoit de tout, médicaments, soins, conseils ou aliments.

Elle nous apporte ainsi gratuitement de l'huile de foie de morue que nous avalons goulûment à trop petites cuillerées.

Elle nous ravitaille aussi en caisses de lait évaporé que nous buvons à grands coups de biberons.

C'est la première personne, sinon la première étrangère, à tout savoir de nous, principalement de nos corps.

Elle s'avère la seule à nous consacrer tant d'attention et à se préoccuper autant de notre mieux-être.

Elle s'informe régulièrement aussi bien de notre alimentation et de nos selles que de notre développement physique et de notre intégration sociale.

Personne d'autre ne s'inquiète de ces aspects de notre vie.

En un sens, sa présence, ponctuée de préoccupations, nous lénifie.

# 10

# Renaissance

LE temps qu'elle passe avec nous s'étire à chaque visite.

Elle semble heureuse avec nous.

– Vous êtes les enfants que je n'aurai jamais, nous glisse-t-elle à l'oreille.

Alors, nous essayons de mériter le grand amour qu'elle nous manifeste.

Lors de ses visites, nous nous abandonnons tout à elle et à ses caresses.

L'infirmière ne compte jamais ni son temps ni son dû.

Elle est là, entière, pour nous… ou pour elle.

Nous la laissons seule juge de ses intentions.

Elle consulte à l'occasion le médecin et, à des moments précis de notre croissance, nous commande des vaccins.

Avant de nous quitter, elle dresse, pour notre mère, une liste de recommandations.

Notre survie en dépendrait.

Il est vrai que nos parents ont mis entre ses mains notre vie, notre santé, notre avenir.

Elle nous pinceote les joues, nous offre un large sourire et promet chaque fois de revenir bientôt.

# 11

# Désordre

De luge en landau, de laisse en attelage, nous paradons de par les rues.

Notre mère, d'une démarche altière, arpente une à une les artères attenantes à notre domicile.

Ce moment est réjouissant pour d'aucuns, irritant pour d'autres.

L'indifférence n'est pas de mise.
La curiosité règne.
Tous veulent voir, même s'ils ont déjà vu.

Oyez! Oyez! Le spectacle va commencer!
Que fuse tout, absolument tout, gloire ou stupeur, encensement ou consternation!

Les gens de notre communauté ne portent en nul temps ni masque ni simulacre.

Ils nous croisent, s'arrêtent et nous jaugent, non sans commenter ouvertement la gémellité.

Tous ou presque émettent des propos directs.

Toujours à partir de leur point de vue propre.

Pour la plupart, nous ne dépassons guère la simple copie conforme.

Pour la minorité, nous tenons du miracle, d'un heureux incident embryonnaire.

Pour certains, nous nous campons dans la catégorie des monstres à découvrir, des bêtes à foire, des exceptionnels produits de l'anormalité.

Même pour les plus avertis, nous demeurons, à tout le moins, des rescapés d'une catastrophe biologique.

Nous voilà désordre génétique avec une vie normale à vivre.

# 12

# Détresse

UNE distante voisine, à la chevelure et au maintien austères, un jour, croise notre mère.

Sans préambule, elle dépose à ses pieds toute sa détresse.

Elle pleure l'aberration qui s'offre à ses yeux.

Pour elle, nous sommes la confirmation et les conséquences de l'abus dans la copulation.

Donc, des enfants de la volupté, des fruits de la complaisance sexuelle.

Elle prie les cieux de les épargner, son mari et elle, d'une telle luxure.

— Fasse Dieu que la communauté entière n'ait jamais à payer pour telle insouciance en regard des générations à venir.

Elle soutient que nos parents ont offensé Dieu, le Procréateur suprême !

— C'est vous, nous lance la messagère, qui, votre vie durant, aurez à expier cette faute, à porter la croix.

Du bout de son doigt, nous jaillit cette sentence implacable.

— Vous, les produits d'une amorale gestation !

Elle laisse notre génitrice, outrée, pousser en silence son chemin.

Se délectant de sa démarche, cette dorénavant plus distante voisine s'empresse de retourner chez elle.

Mission accomplie !

Elle flatte discrètement son ventre, ignorant que, depuis peu, son sein est porteur de triplets.

# 13

# Exploration

Un matin, nous laissons de côté nos marchettes.
Nous voulons explorer le monde.
Au début, notre mère renforce d'autant nos attelages.
Que nous importe, nous apprenons vite à nous en libérer.
La nécessité d'exploration nous domine.
En silence, nous planifions nos stratégies, si mineures soient-elles.
Nous mettons toutes les cartes de notre univers sur la table.
Ni roi ni Indien, ni navigateur ni moussaillon, ni Barbe-Bleue ni Carabosse, personne ne se soustrait à notre imaginaire, non plus à notre omnipotence.
Notre territoire s'agrandit clôture par clôture, haie par haie.
C'est à nos risques et périls que nous prenons plaisir à repousser les frontières.

Tout est motif à découverte.
Même l'infranchissable se soumet aux lois du « Sésame » ou de l'« abra-ca-da-bra ».
Le fabuleux surgit, le mythique se ramifie.
Que d'animaux, que de personnages rencontrés au hasard dans l'*Encyclopédie de la jeunesse* ou ailleurs, nous

invitent à les accompagner dans leurs périples, si périlleux parfois.

Et les rejoignons pourtant.

Entre tous, nous préférons les Castor et Pollux, les Romulus et Rémus, les Twideldum et Twideldee, les siamois Chang et Eng, les jumelles Dionne, mais hésitons, malgré tout, devant des Dupond et Dupont.

Courant, voguant, escaladant, volant... bref, nous sommes.

Nous nous adoubons d'ubiquité et d'éternité.

# 14

# Sans préavis

PERSONNE ne nous conteste comme nul ne nous défie.

Nous ne faisons qu'un pour l'autre et, réciproquement.

Aussi, nous pouvons modifier, à tout moment et sans préavis, nos plans d'assaut, de conquête ou de couronnement.

D'ailleurs, nul besoin d'avis.

Toutes les décisions, même les plus minimes, sont toujours prises conjointement, simultanément ou instantanément.

Nous n'avons jamais besoin de discuter ou de nous consulter.

Nous n'en ressentons pas l'obligation.

Tout ce qu'il y a dans la tête de l'un, nous le savons dans celle de l'autre.

Nous partageons la même féerie, vivons le même enchantement.

Nulle attente, nulle pensée, ou si peu, ne passent par les mots.

Nous entendons tout en nous, spécialement le silence.

# 15

# Synchronisme

NOUS assistons aux mêmes événements, souvent plus divertissants que fastidieux.

On nous adresse de pareilles civilités, tout aussi flatteuses que charmantes.

Nous entendons les mêmes discours.

Forcément, les mêmes idées nous habitent, nous inspirent, nous dirigent.

Il n'est nul projet, nulle élaboration qui ne passe dans l'entendement de l'autre.

Nos corps comme notre esprit se manifestent en une parfaite coïncidence.

Nul besoin de concertation.

Tout est synchronisme.

Ne mangeons-nous pas les invariables aliments, aux mêmes heures?

N'ingurgitons-nous pas un nombre équivalent de bouteilles d'eau, de lait ou de jus?

Des goûts et des passions en intensité identique nous pénètrent.

Nous faisons les mêmes activités aux mêmes heures.

Nous vibrons d'une seule agitation et souffrons toujours de la même fièvre.

Nos organismes expriment simultanément les mêmes désirs, les mêmes appétences.

Cette simultanéité étant, tous nos besoins répondent à de communs impératifs.
Car, à besoin égal, rejet égal.

Il nous arrive partant de surcharger notre mère de travail.
Face à face autour des toilettes, pour une envie commune, nous ne pouvons éviter, dans un geste d'inattention, de nous éclabousser mutuellement jambes et pieds.
Nous savons que c'est un accident.

Nous promettons de mieux nous concentrer et de démontrer dorénavant plus d'adresse.

# 16

# Jeu d'adresse

QUELQUE temps plus tard, nos parents installent un jeu de fers à cheval dans la cour arrière.
Nous aimons particulièrement cette occupation.
Ce sont des moments privilégiés.
Personne n'interfère.
Nous sommes vraisemblablement les seuls à devoir développer de l'adresse.
Ce jeu est d'autant pratique qu'il n'y a pas de règlements.
Nous les établissons et les faisons nôtres.
Nul ne s'y trouve pour les contester.

Rien cependant ne nous empêche de les modifier en cours de partie, s'il le faut.

Souvent les fers s'entrechoquent, d'autres fois, ils frôlent ou touchent le but.

À chaque coup, c'est un bruit différent qui retentit.

Nous prenons de plus en plus plaisir à varier les sons des fers.

Le nombre de bruits produits et de buts frappés ne nous importe vraiment guère.

De jour en jour, nous démontrons davantage d'adresse et notre mère, plus que nous, s'en réjouit.

# 17

# Le coffre-fort

Nos parents sont responsables d'une institution fiduciaire.

Quelques fois, encouragés par Sésame ou Polichinelle, nous ouvrons les secrètes et lourdes portes d'Ali Baba.

Nous pigeons dans les réserves bancaires des emprunts, pour quelques heures seulement, il va sans dire.

Mal nous en prend.

Un certain jour, l'un se heurte le front contre le coffre-fort et un autre soir, l'autre se coince le doigt dans la porte de ce fatidique cube métallique.

Tous les deux, nous laissons tomber nos poignées de quelques dollars et plongeons aussitôt dans la douleur de l'autre.

Ces blessures non seulement nous stigmatisent, mais nous distingueront pour la vie.

Un ongle froissé et une cicatrice sur le front remplacent, non sans la rappeler, la majuscule croix de jadis.

Notre grand-mère et autres voisins inquisiteurs, dès lors, ne nous dépouillent plus de nos vêtements.
Ils préfèrent dorénavant nous examiner la main ou nous soulever la mèche de cheveux.

Désormais, le devoir de veiller sur notre identité ne dépend plus d'une seule personne.
Les voilà pour lors, rassurés, quiets, et à l'abri surtout de toute confusion éventuelle.

# 18

# Innocence

Nous constatons que de plus en plus de gens insistent pour nous distinguer.

Ceux-là mêmes se méfient de notre similitude.
Parfois, ils inventent sournoisement certaines astuces pour nous démasquer.
Ils s'imaginent que nous abusons de leur aveuglement ou de leur manque de discernement.
Ils nous traînent sur la place publique et nous accusent devant l'assistance entière de tous les maux.
Ils s'assurent à chaque procès de la présence de l'un de nos parents.
Souvent ces mêmes gens nous prêtent de mauvaises intentions.
Ces accusateurs veulent voir si notre main gauche ou notre droite ne cacherait pas un œuf ou bien un bœuf.

Une si petite main ne pourrait rien cacher, sinon quelques clous.

Sitôt dit, nous devenons les détourneurs de clous de toute la communauté.

Notre semblance devient pour eux une complicité, voire une menace.

Ils cherchent désespérément le coupable, comme si nous pouvions nous dédoubler.

— Nous ne faisons qu'un !

— Nous sommes indivisibles ! leur soutenons-nous.

En nous excluant de leur communauté, ils nous dépouillent avec fracas de notre enfance.

Très tôt, nous devenons des personnes morales.

# 19

# L'école

Nous cherchons partout nos biberons, surtout tout autour de la maison.

Nous ne les trouvons plus.

Notre mère les a peut-être rangés, à moins que ce ne soit notre frère qui, dans un élan de jalousie ou de honte, les...

Fort heureusement, nous n'en avons plus besoin.

Une nouvelle vie s'ouvre à nous.

Nous entrons dans le monde de la raison par les grandes portes.

Dès demain, nous allons fréquenter notre première institution scolaire.

Nous avons vraiment hâte de savoir ce qui se passe à l'intérieur des murs de cette école.

Le premier matin, nous arrivons endimanchés et prêts à tout pour apprendre.

Une dame nous accueille, toute de noir vêtue, de la coiffe aux bottillons, exception faite pour la cornette et le plastron, impeccablement immaculés.

Elle est notre mère supérieure, notre nouvelle mère, affirme-t-elle.

Nous feignons de la croire pour ne pas la contrarier.

Elle nous entretient de cloches et de cours, de planchers cirés et de sandales feutrées, de tuteurs et d'anges gardiens, de Dieu et d'Avé, de devoirs et de soumission.

Nous nous étonnons que les Saints soient tellement portés sur la discipline, sur l'ordre, sur la propreté et sur un rituel aussi spécieux.

Debout, tout contre un immense crucifix, notre nouvelle mère nous contraint à la génuflexion et à la mi-prostration.

À la fin, elle nous assigne classe et maîtresse.

# 20

# Poste d'observation

Nous nous présentons, déterminés et amènes.

Notre nouvelle mère nous désigne deux bancs en arrière, là-bas tout contre le mur.

Cette position privilégiée nous permet de remarquer absolument tout ce qui se passe en classe.

Nous observons.

Tous les pupitres sont occupés par des enfants de notre entourage.

Nous les avons pour la plupart déjà vus.

Sauf nos voisins très immédiats, aucun de ces nouveaux camarades ne portent de prénom ni de nom.

Une voix tout enroulée se déplie, ferme.

C'est notre institutrice.

– Une nouvelle façon de vivre s'impose, cela porte deux noms, discipline stricte et obéissance aveugle, édicte-t-elle.

– Enfin, il faut garder un silence religieux en tout temps dans la classe, ainsi nous serons toujours prêts pour l'écoute de Jésus, conclut-elle.

Tous s'y soumettent.

Alors, nous nous appliquons à ne pas être différents de tous.

Nous avons hâte d'entendre, nous aussi, la voix de Jésus.

# 21

# Les lettres

L'INSTITUTRICE passe d'un pupitre à l'autre.

Elle seule, et de façon arbitraire, peut accorder le droit de parole.

Elle corrige l'écriture des uns, reprend la position des autres, s'impatiente de l'attitude de plusieurs et se félicite de la performance d'aucuns.

Nous attendons notre tour.

Il ne vient pas encore.

Nous nous occupons sérieusement en nous auto-initiant aux choses de l'école.

Nous explorons, timidement d'abord, les rudiments de la langue en établissant les jalons de notre propre instruction.

Nous adhérons enfin à la connaissance.

En termes plus clairs, nous sortons livres d'écriture, plumes et cahiers.

Nous y reproduisons scrupuleusement le dessin de chacune des lettres.

Certaines formes nous amusent.

D'autres nous causent bien des surprises et parfois de laborieuses ou de majuscules difficultés.

Nous avons hâte de pouvoir leur donner un nom afin de mieux les contrôler.

# 22

# À chacun son tour

Nous accumulons et ordonnons dans notre tête une rangée d'interrogations, réservées pour notre omnisciente maîtresse.

Hélas! ce n'est pas encore notre tour!

La matinée passée, nous nous empressons de montrer nos dessins à notre mère.

Elle prend tout son temps pour nous apprendre le nom des principales lettres.

Un autre soir, nous lui exposons fièrement nos toutes récentes découvertes graphiques.

– Ces dessins, mes petits enfants, ne s'appellent pas lettres, mais chiffres.

– Ils servent à connaître le nombre d'élèves dans votre classe et la quantité de billes dans vos poches.

Notre mère s'informe de la raison pour laquelle l'institutrice ne corrige pas nos exercices d'écriture.

Pourquoi enfin, ne nous initie-t-elle pas à toutes ces notions?

Nous lui apprenons que, depuis deux semaines, notre tour n'est pas encore venu.

# 23

# Les cerveaux

LE lendemain matin, à l'heure du déjeuner, nous entendons la voix de notre mère.

Elle interpelle quelqu'un dans la rue.

Nous allons discrètement vers la moustiquaire.

Notre institutrice est là, tout près, le corsage bien pointé.

Notre mère l'interroge et, sans attendre la réponse, lui pose d'autres questions.

Nous reconnaissons en notre mère une grande audace, un manque flagrant de retenue.

Surtout que la personne à qui s'adresse notre mère est expressément celle qui, à l'école, exige des élèves de répondre à chacune des questions au fur et à mesure qu'elles sont posées.

L'institutrice hésite puis, sur un ton de confidence et d'empathie, lui annonce que notre cerveau est coupé en deux, conséquence irrémédiable de notre état gémellaire.

Personne n'y peut rien.

Elle, non plus, ne peut strictement rien faire pour nous.

Avec quel regret, se découvre-t-elle, impuissante, contrainte à nous abandonner à nous-mêmes.

— Ce seront toujours des infirmes, déplore-t-elle.

En pleine conscience, elle ne peut négliger la classe entière au détriment de deux handicapés.

L'affirmation nous atterre.

Notre tour ne pourra donc jamais venir !

Notre mère élève légèrement, puis fermement le ton contre cette ignorance si candidement avouée.

Une discussion animée s'engage sur l'intelligence et sur le cerveau des jumeaux.

Nous trouvons notre mère très avertie et notre institutrice, très entêtée.

Nous ne comprenons pas tout ce qu'elles se disent.

Nous attribuons cette impuissance à nos demi-cerveaux.

L'institutrice quitte sur l'heure notre mère sans attendre la fin de l'argumentation.

Nous mangeons en silence et sans trop d'appétit notre gruau d'avoine.

# 24

# Simple appréhension

QUELQUES minutes plus tard, nous partons pour l'école, habités par une certaine appréhension.

Dès notre arrivée en classe, notre tour arrive déjà, suivi de plusieurs autres.

L'institutrice nous bombarde d'informations et d'histoires.

Les lettres se font parfois souris, pluie qui tombe ou bûcheron dans la lune.

Chaque lettre a son histoire et son importance.

Pour connaître le nombre de lettres, il faut savoir compter, d'où la nécessité de contrôler les chiffres.

Chaque nombre a ses particularités et ses astuces.

Il importe d'apprendre les lettres, les mots et les phrases pour découvrir cet univers.

Nous nous étonnons que des demi-cerveaux saisissent tant de notions nouvelles.

Nous comprenons tout, absolument tout, ce que l'institutrice nous raconte.

Elle va jusqu'à ignorer les questions de certains privilégiés ou surdoués de la classe.

– Je suis à vous dans un instant, les limites de leurs capacités seront bientôt atteintes, leur glisse-t-elle.

À l'heure du dîner, nous rentrons sans délai rassurer notre mère.

# 25

# Insertion

NOTRE frère aîné cherche souvent à s'intégrer à nos divertissements.

Nous voulons bien, mais il ignore complètement nos règles, surtout les plus simples.

Nous essayons.

Nous essayons une autre fois.

Il faut tellement de minutes pour expliquer les conventions, établir les codes, énumérer les variables!

Il nous reste rarement assez de temps pour compléter chacun des jeux.

Il tente à tout moment de modifier les règles.

Nous refusons.

— Je ne veux que les simplifier, reprend-il.

— Nos règles ne sont pas à simplifier, elles s'apprennent et s'appliquent en entier, lui répondons-nous.

Nous changeons alors de jeu.

Il insiste de moins en moins à demeurer parmi nous.

Nous ne nous en formalisons nullement.

D'ailleurs, nous n'avons jamais sollicité sa présence.

# 26

# Hermétisme

À CERTAINS moments, notre aîné raconte à notre mère que nous avons développé entre nous seuls une langue étrangère.

— Un inaudible jargon, un hermétique gazouillis, lui murmure-t-il insidieusement.

Il est vrai, nous l'admettons, que parfois nous oublions la présence de notre frère ou d'autres personnes.

Mais que vient-il nous assaillir!

Certes, quelques-unes de nos réalités lui échappent.

Nous n'en exigeons pas tant de lui.

D'autres aspects concernant notre exclusive gémellité l'aveuglent pourtant.

Nous nous forçons quand même d'avoir le bon mot pour lui.

Nous développons instinctivement à son égard un respect sans nom.

Nous tentons, parfois et souvent à son insu, d'être plus près de lui.

En sa compagnie, nous utilisons, à ce qu'il nous semble, les mêmes mots et les mêmes signes qu'il utilise.

À cette occasion et sans équivoque, son ton devient accusateur, agressif et, par-dessus tout, déconcertant.

Nous interprétons ce nouveau phénomène comme étant de la jalousie, inadmissible réaction.

Sans trop chercher à soutenir cette théorie.

Nous devinons, mais n'envions nullement son inquiétude.

Nous sommes deux, il est seul.

À peine un an nous sépare.

Mathématiquement parlant, il va de soi qu'à deux, nous risquons fort de le dépasser en âge un jour ou l'autre, allègue-t-il.

Nous l'abandonnons à son angoisse.

# 27

# Droit au jeu

D'AUTRES jours, notre frère organise avec ses amis des jeux ou des expéditions.

Nous voulons y participer.

Aussitôt, il émet des réticences, impose des conditions, édicte des codes.

Nous insistons.

Nous nous engageons à suivre les directives et à respecter l'itinéraire.

Nous allons jusqu'à promettre de ne pas le dénoncer advenant d'éventuelles irrégularités.

Il évoque notre bas âge, notre peu d'endurance.

Il souligne cette trop grande responsabilité, celle de devoir veiller sur deux…

À la fin, à court d'épithètes et d'arguments, il proclame notre exclusion.

Pour la forme, nous protestons en mettant en exergue notre droit aux jeux et à la découverte.

Notre mère le ramène vite à ses responsabilités de grand frère.

– Entendez-vous entre vous, mes petits enfants, ponctue-t-elle.

Nous nous entendons alors.

# 28

# Activités

GRÂCE au sens du devoir de notre aîné ou peut-être est-ce dû à sa soumission, nous accédons à un vaste champ d'activités.

Ainsi, un après-midi d'hiver, nous nous initions au patin-bottine sur un étang appelé Lac-à-la-mousse.

Un samedi de printemps, nous assiégeons, après une heure de marche dans la neige sans raquettes, une pure cabane à sucre, cent pour cent sauvage et hospitalière.

Un autre jour, nous atteignons, escaladons et dévalons en skis-tout-terrain la côte d'érables sise de l'autre côté d'un petit lac avoisinant.

Une matinée de canicule, vêtus d'un simple cale-
çon blanc léger, nous imbibons nos corps troubles des
eaux de ce même petit lac.

Nous ne sommes pas seuls.

D'autres enfants, des voisins, des inconnus aussi,
occupent la même rive, barbotent dans les mêmes
eaux.

Pour la première fois, nous partageons la nudité
presque intégrale de nos corps avec des étrangers.

Que de fenêtres, que de barrières et que d'ave-
nues, notre grand frère nous ouvre-t-il !

La roche plate, l'enfer, la nique-à-poux, les devi-
nettes, les énigmes, les cahiers de *La Bonne Chanson* et
l'*Encyclopédie de la jeunesse*, tout s'avère autant d'activités,
de loisirs ou de lieux que nous découvrons avec lui.

C'est aussi autant de temps que nous lui sacrifions.

À vrai dire, c'est presque notre seul copain de jeux.

Le soir, dans la chambre dite des jumeaux, c'est
fesses contre fesses que nous retrouvons notre calme,
le silence, soit le non-à-dire, et... les voyages.

Au réveil, notre enlacement confirme, à chaque
fois, notre bien-être.

# 29

# Inédit

UN matin de tendre printemps, nos parents aména-
gent un croquet derrière la maison.

L'arrivée de ce nouveau jeu provoque tout un émoi dans la communauté.

C'est de l'inédit.

Tous nos voisins, arrière-voisins et arrière-arrière-voisins nous viennent exprimer leur émerveillement, leur reconnaissance et particulièrement leur intérêt.

Des gens que nous n'avons jamais vus se présentent.

À les entendre, on les croirait des intimes, tellement ils se font familiers.

Chacun y va de son coup, précédé ou bien suivi, d'espoir, d'excuses, de regrets ou d'éloges.

Nous ne sommes pas les seuls à nous réjouir de cette acquisition.

Les curieux se font un peu plus nombreux, un peu plus agités.

Après avoir jeté un bref coup d'œil, certains quittent l'enceinte et s'éloignent.

Un regard furtif fait nous dire qu'ils n'ont rien vu, donc qu'ils n'ont rien compris.

Quelques instants plus tard, voilà qu'ils rappliquent avec leurs amis.

Nous pouvons donc, enfin, côtoyer des inconnus, sans mise en garde ni peur de représailles.

# 30

# Compétition

Nous n'avons de regard que pour ces soi-disant experts.

Leur comportement n'est pas sans nous inquiéter.

Ils dissimulent difficilement leurs sentiments et leur ressentiment.

Nous en voyons certains s'offusquer de leurs propres mauvais coups.

D'autres s'indigner davantage de la bonne performance de certains membres de l'équipe adverse, sans égard pour leur habileté.

Un coup de maître, pour nous, mérite toujours des applaudissements, d'où qu'il vienne.

Mais c'est tout à fait autre chose pour eux.

Ils essaient tous de gagner à tout prix.

Ils s'accusent mutuellement de veinardise, de tricherie ou de manigance douteuse.

D'entrée de jeu, la position du corps et la tenue du maillet, elles-mêmes, sont imposées.

Les règlements sont là, absolus, incontournables et incontestables.

Entre eux, ils épient leurs moindres mouvements et gestes.

Certains, sous l'emprise de l'orgueil, s'insurgent contre leurs dévoyants propos.

Leur écart de langage nous étonne quelque peu.

Leurs nettes références aux biens de l'Église sont, de toute évidence, trop nombreuses et surtout, hors contexte.

Cela semble à priori ne faire sursauter que nous.

# 31

# Rivalité

Nous nous retournons vers ces discoureurs et plongeons aveuglément en leur univers.

Quel monde !
Ils contestent plus haut que bas chacun des points.
Refusent toute interprétation.
Évoquent protêt et poursuite.
Mais… à la fin, ils concèdent, disent-ils.

Pour eux, tout est matière à suspicion.
S'ils perdent, ils exigent, le front rougi par l'humiliation, une revanche sur-le-champ.
À les voir, nous en déduisons que la honte habite la défaite.

Nous essayons, mais en vain, de saisir ce qu'est la rivalité.
Comme nous nous forçons de nous haïr.
Nous ne le pouvons pas.
Cet état nous est absolument inaccessible et incommensurable.
Aucune faute, nulle répréhension ne peut être retenue contre l'autre.
L'antagonie n'existe pas.
Nous ne ressentons vraiment rien de pareil.

Nous remettons à plus tard le soin de réajuster dans nos têtes le sens des qualificatifs qui gravitent autour du mot jouer.

# 32

# Proclamation

LA voix du juge retentit.
C'est maintenant à nous d'exécuter des prouesses.

Nous révisons les inévitables et redoutables règlements du jeu.

À coups de maillets, timidement d'abord, nous faisons avancer nos premières boules.
Pour nous, les autres, les anxieux spectateurs, n'existent plus.
L'assurance nous envahit un peu plus à chaque tir.
Une sensation d'aisance nous investit.
Nous avons la certitude de n'être qu'une seule et unique personne à jouer.
Au gré des bons et des mauvais coups, nous vivons la même joie ou souffrons la même déception.

Le dernier arceau est franchi.
À ce qu'il nous semble, tout est terminé.
Nous nous apprêtons à quitter l'enceinte.
Les juges, à la demande des parieurs, insistent pour proclamer un gagnant.
Par simple respect du vœu de tous, nous nous soumettons et écoutons le compte final.
Les spectateurs applaudissent, les uns plus que les autres.
Ceux-là exultent de satisfaction, même s'ils craignaient, en opiniâtres fatalistes, l'inégalité dans les points.
Ceux-ci, plus orgueilleux, se retirent avec un doute sans appel lancé contre notre indéfaillible gémellité.

Au fond de nous, le résultat n'a aucune espèce d'importance.
Nous avons à la fois perdu et gagné, ni perdu ni gagné.
C'est une occupation, un simple passe-temps, un jeu au sens premier du terme.
Nous nous éloignons discrètement de la scène.

Notre plaisir et notre satisfaction se partagent en un ravissement muet.

# 33

# L'année mariale

L'ANNÉE mariale bat son plein.

Le monde entier s'arrête de tourner, ou bien tourne dans le même sens, l'espace de douze mois.

Personne n'a le temps de nous exposer de théorie ni de nous préciser la portée exacte de cet événement.

Qu'importe la raison, c'est la fête !

Pour les circonstances, la fabrique a érigé une arche en authentiques conifères, à deux enjambées du parvis de l'église.

Toute la communauté est en effervescence.

Tous les résidants, y compris nos voisins, se parlent et nous parlent.

Nous commençons à bien différencier et à mieux hiérarchiser toutes les composantes de notre collectivité.

Nous reconnaissons au passage des récents collègues, quelques innocents voisins, les baigneurs-d'un-après-midi, l'institutrice-au-plein-cerveau, le curé-au-teint-blafard, certains joueurs-de-croquet-d'un-jour et combien d'innombrables badins et badauds.

Quant aux autres, les inconnus, ils nous indiffèrent non pas tant par méfiance que par désintéressement.

Il y aura de tout pour célébrer Marie : des messes, des homélies, des processions, des chars allégoriques, des pèlerinages, des tombolas, des prix et... peut-être des miracles.

C'est du jamais vu !

De mémoire de jumeaux, nous n'avons en aucun temps compté autant de gens dans les rues.

Les organisateurs, le maire en tête, parlent de visiteurs de marque, de personnalités telles que l'inspecteur de l'Instruction publique, le député.
Le président du comité des fêtes dévoile, honneur suprême, la présence de l'archevêque, lui-même, issu de notre modeste communauté.

D'autres gens, le verbe débordant et complaisant, s'immiscent dans l'organisation, siègent autant comme autant.
À dire vrai, ils ne sont que chaire et gloire.

# 34

# Pèlerinage

DANS le cadre des festivités et des hommages, notre mère nous apprend que nous ferons avec elle un voyage de cinq heures en train.
Depuis longtemps, nous savons que cinq heures, c'est le temps d'une seule journée assis sur les bancs de l'école.
Durant les fins de semaine, c'est la période, à quelques quarts d'heure près, allouée aux jeux entre deux repas.

Notre mère nous convie à rendre gloire à la Vierge par un pèlerinage en terre sacrée.

— Nous avons bien hâte de voir Marie, nous exclamons-nous.

— On ne va pas en pèlerinage pour voir les Saints, si petits soient-ils ! nous corrige-t-elle.

Nous nous demandons bien pourquoi aller si loin pour vénérer quelqu'un que nous ne verrons pas.

C'est le mystère des pèlerinages.

Nous ne nous rappelons pas avoir déjà vu notre mère quitter la maison.

C'est la première fois que nous serons seuls, tous les trois.

Nous nous engageons sans hésiter à bien veiller sur elle.

# 35

# Chérubins

LE train est bondé de gens qui ne cessent de nous reluquer et, par ricochet ou par voie d'audace, de harceler notre mère de questions.

Ils sont légion à nous scruter.

Comme orchestrés, les uns à la suite des autres, les voyageurs adressent à notre mère les mêmes interrogations, directes.

Toutes nous détaillent : l'âge, les prénoms, les signes distinctifs, les propos amusants, les échanges télépathiques, d'autres anecdotes, encore et encore…

Notre mère leur sourit.

Du même coup, ses yeux révèlent à quiconque la profonde fierté qu'elle nous porte depuis notre naissance.

On la supplie de rajouter quelques mots.

Elle feint d'hésiter.

Puis, elle prend le temps de se soumettre au gré des plus flatteurs ou des plus insistants.

Elle parle de bonté, d'honneur, de générosité et surtout de Dieu et de gratitude éternelle.

Nous n'avons jamais entendu notre mère parler ainsi.

Nous comprenons que le pèlerinage fait de notre mère un archange et de nous, par filiation, des chérubins.

Alors, nous sentons notre intérieur s'amplifier, jusqu'à tendre un tant soit peu vers Là-Haut.

Jamais cinq heures ne filèrent si rapidement.

# 36

# Comparaisons

Au sanctuaire, prêtres, pères ou chanoines nous encerclent.

À tour de rôle, ils nous ajustent les boutons de manchettes, le veston, la cravate, les boutonnières, le col ou, à la fin, la ceinture.

Ils nous complimentent pour la couleur de nos yeux, pour la finesse de nos mentons et pour la douceur de nos mains.

Certains poussent un peu plus loin la curiosité.

Ils veulent savoir et vérifier si nous dissimulons les mêmes grains de beauté.

D'autres vite les en dissuadent.

Ceux-ci rendent gloire au Très-Saint pour nous avoir faits affables, riants, blonds et, par surcroît, en double exemplaire.

D'aucuns nous tapotent les joues et, encore les joues.

Les moins habiles nous dépeignent, pour mieux nous repeigner tout aussi maladroitement.

Nous comprenons qu'ils nous veulent identiques dans les moindres parties.

Quoi qu'il en soit, ils s'amusent de nous et l'expriment ouvertement en rires.

En rires qui nous paraissent nerveux.

Nous n'avons pourtant jamais sollicité d'eux une attention aussi soutenue.

Nous rejoignons notre mère avant qu'elle ne s'inquiète de notre très longue absence.


# 37

# Faux jumeau


NOTRE sœur est la seule, notre mère exclue, à porter un regard aussi accentué sur notre gémellité.

Elle nous réserve une affection particulière.

Nous le savons de par ses attentions et ses allusions.

Elle facilite parfois notre tâche en nous déchargeant discrètement du fardeau de certaines corvées familiales.

Comme elle ne s'impose jamais lorsqu'elle participe à quelques-unes de nos activités.

En s'approchant si près de nous, elle tente, pensons-nous, de percer le mystère qui auréole les jumeaux.

Nous ignorons si ce désir de démystification est mû par une fascination intéressée ou par une empathie spontanée.

Malgré cette interrogation et hormis notre soumission fraternelle, nous l'accueillons tout simplement.

Elle profite, dès lors, de notre ressemblance pour faire des expériences en photographie.

Mettant en pratique ses connaissances, acquises fort probablement dans l'*Encyclopédie de la jeunesse*, elle crée des mises en scène diverses et composites.

Soit devant un casse-tête à monter, soit face à un phonographe, elle fixe sur pellicule, dans une position donnée, un des jumeaux choisi.

Ensuite, sans tourner la bobine, elle réexpose le même jumeau dans une position complémentaire.

Un seul jumeau en double exemplaire.

Le clonage parfait est accompli.

Elle recommence avec l'autre jumeau dans un scénario différent, jusqu'au bout du rouleau.

Elle nous éternise, simples singuliers, en une illusion gémellaire.

Elle rend accessible à tous le rêve du dédoublement, mais du même coup, elle nous arrache notre gémellité.

De vrais, nous passons à de pseudo-jumeaux.


# 38

# Dégémellisation


NOTRE sœur sort satisfaite de cette expérience.

Son résultat, son « ce-qu'il-fallait-démontrer », a, selon elle, resserré d'un cran ou d'un clic notre similitude.

Elle nous a rendus plus semblables encore qu'avant.

Pour atteindre la ressemblance parfaite, elle nous a fait passer par une dégémellisation totale.

La preuve en est.

Les photos sont là.

Elles ne peuvent s'envoler.

Ne sommes-nous pas témoins et complices ?

Car, les imposteurs, ce sont nous.

Les gens, confondus l'espace d'un éclair, prennent à peine le temps de dénoncer la falsification et de saluer les merveilles de la technologie.

Ils ne s'arrêtent pas pour comprendre la démarche philosophique ou psychologique de notre sœur.

Ils s'étonnent simplement de son acharnement à prouver ou à contrer, selon l'optique, ce qu'ils savent depuis toujours.

Nous sommes des jumeaux identiques.


# 39

# La messe


Tous les matins, à sept heures, la plupart des enfants de notre âge sommeillent.

Nous, nous servons la messe.

Cela, sur insistance expresse du curé.

Nous sommes pleins de soins pour le cérémoniant et pour ses habits sacerdotaux.

Nous lui retroussons l'aube, lui déployons l'étole, lui enroulons le pan arrière de la chasuble.

Tout cela afin de faciliter son habillement.

Nous sommes par-devant tous ses caprices.

Nous le servons sans pour autant lui vouer une admiration aveugle.

En réalité, le curé met rarement en pratique l'amour et la reconnaissance qu'il prêche.

Particulièrement en ce qui nous concerne.

Il semble très mal à l'aise avec nous.

Il bougonne nous ne savons quel déplaisir.

Il ne sait comment nous dire ni excuse, ni s'il vous plaît, ni merci, ni quoi que ce soit.

Comme il ne se rappelle jamais de nos prénoms.

Il nous appelle ses andouilles, ses escogriffes ou ses sans-dessein.

Alors, nous serrons notre cœur pour qu'il se taise.

À ses yeux ou sur la confession d'une certaine voisine, serions-nous porteurs d'une faute originelle ?

Aurions-nous, pour nos parents, à expier le péché de la chair ?

Nous le quittons à chaque matin d'abord discrètement, puis furtivement.

# 40

# Visite paroissiale

JAMAIS nous ne parlons de nos relations avec le curé à nos parents.

Ils n'en savent rien.

Les rares occasions où nous avons vu nos parents le croiser sur la rue, ils passaient en silence, chapeau bas.

Le curé ne s'adresse guère à eux, sauf lors de la visite paroissiale.

Ce jour-là, il s'ouvre tout sourire et tout plein de complaisance.

Eux, généreux jusque dans l'oubli, offrent dîme, reconnaissance et considération éternelle au représentant du Dieu-Tout-Puissant.

La visite n'aura été que de très courte durée, le temps d'une poignée de mains, de quelque négoce, d'une brève bénédiction, guère plus.

Nos parents ne parlent ni en mal, ni en bien du curé.

Ils le taisent.

Nous les interrogeons.

– Chez nous, nous mangeons notre pain, blanc, nous confient-ils.

# 41

# Équilibre

AVANT chaque célébration liturgique, nous décidons des rôles à jouer, thuriféraire ou cérémoniaire.

Cela ne nous empêche pas, durant la cérémonie. de changer de position.

Non pas tant pour combattre la monotonie que pour établir un équilibre dans l'exécution des rôles.

Nous ne nous considérons ni dominant ni dominé, comme semblent l'insinuer ou l'affirmer certains.

– Entre nous, personne ne décide avant l'autre, leur répondons-nous.

Tout se fait synchroniquement, comme pour la distribution ou l'inversion des rôles.

Nous exécutons ces modifications toujours spontanément.

Surtout très discrètement, à des moments précis et très stratégiques.

Souvent, c'est en descendant ou en montant les quatre marches menant à l'autel.

Dos au prêtre, nous nous entrecroisons harmonieusement au vu et au non-su de tous.

Nous les mystifions par nos chorégraphies.

D'autres fois, c'est près de la crédence, juste avant que le serviteur de Dieu ne s'abaisse pour convertir le vin en sang et le pain en corps.

Ou alors, c'est lorsque nous nous dirigeons vers la balustrade, la patène à la main.

Nous abusons de l'un de ces moments pour changer en douce notre ordre et modifier partant la distribution.

Il n'est pas rare que nous fassions jusqu'à deux ou trois inversions par célébration.

Nous nous voulons très effacés.

Nous nous en voudrions de déranger les fidèles et surtout de déconcentrer le cérémoniant.

# 42

# Fuite

APRÈS la messe, nous déployons une prévenance encore plus extrême à dévêtir notre curé et à ranger ses vêtements.

Nous n'espérons plus ses inaudibles remerciements, non plus ses doucerets qualificatifs.

Nous les fuyons, tout simplement.

Nous l'entendons ranger le vin de messe et nettoyer les burettes.

Il y met beaucoup de temps, selon nous.

Jamais nous n'épions ses gestes.

Nous nous empressons de suspendre notre surplis, notre soutane et notre orgueil.

Nous n'osons penser que, demain, le curé puisse être encore aussi peu affable.

Nous nous résignons en déposant quotidiennement nos blessures au compte des indulgences.

C'est notre lot à payer pour être identiques.

Chaque matin, la représentation se termine, sans éclat, sans gloire.

Nous avons bien mérité notre pièce de dix cents.

# 43

# Notoriété

Nos parents occupent des sièges notables et fort enviés dans la communauté.

Il leur incombe, de fait et de droit, plusieurs responsabilités.

Sans notre aide, nous supposons et affirmons que jamais ils ne pourraient survivre à la tâche.

Aussi, nous nous efforçons d'être dignes et respectueux en tout temps de leur notoriété.

Nous cherchons ainsi par tous les moyens à ne pas ternir leur réputation.

Pour leur manifester notre indéfectible admiration, nous allégeons leur fardeau en accomplissant divers services.

Toujours à notre mesure.

Soir et matin, beau temps, mauvais temps, nous marchons quelque trois kilomètres pour actionner ou arrêter le moteur de la pompe à eau.

Nous régularisons le niveau d'eau du réservoir.

Tout le mécanisme est réglé en fonction de la consommation quotidienne locale.

Jusqu'à ce jour, il n'est pas une plainte qui ne soit parvenue aux oreilles de nos parents.

Nous nous en glorifions.

À la tombée du jour, nous remontons le commutateur électrique, cela permet aux rues de s'illuminer.

Certaines gens, les plus regardants, en profitent pour veiller au luminaire.

Demain, ils seront les premiers, à défaut de pouvoir transmettre des nouvelles, à lancer de savoureux ouï-dire.

À notre réveil, dès que l'éclairage naturel se suffit, nous nous empressons de faire le mouvement inverse.

Enfin, ce sont nous qui, munis d'une longue perche ajustable, remplaçons, aussi durant l'hiver, les ampoules brûlées de ces indispensables lampadaires.

Voués entièrement à l'éclat de notre planète, nous, contrôleurs attitrés des réverbères, suivons aveuglément la consigne.

# 44

# Vie sociale

Tous les soirs, printemps comme automne, nous communions avec tous les citoyens.

Nous les informons de l'essentiel.

– Il est vingt et une heures !
– Tout va bien !
– Il n'y a pas de feu !
– Les enfants doivent aller dormir !

Nous sommes en effet les seuls responsables de la sirène du couvre-feu.

Ensemble, sans question aucune d'alternance, nous allons et venons.

Nous posons les mêmes gestes tous les soirs.

Nous essayons chaque fois de ne pas trop faire varier la durée du signal.

Les soirs de grand froid, le défi est assez difficile.

Certains usagers, par contre, sont très compréhensifs.

Les parents de nouveau-nés, par exemple, apprécient sûrement, croyons-nous, le trop bref et non réglementaire signal.

Par chacune de ces interventions et de bon cœur, nous participons à la vie communautaire.

Sans pour autant nous laisser socialiser.

# 45

# Illusion

NOTRE cours primaire tire à sa fin.

Notre titulaire nous a appris de nouvelles façons d'améliorer nos phrases et de perfectionner notre parler.

– En enrichissant votre pensée, vous vous exprimez plus en nuances et vous comprenez mieux les événements, répète-t-il.

Nous constatons avec joie que nous acquérons plus de discernement et partant, nous énonçons moins de confusion.

– Cependant, votre plaisir sera de courte durée, présage notre instituteur.

Portant un regard trouble sur nous deux, il nous met en garde contre l'illusion.

– Une grande déception vous guette, nous prédit-il.

Il nous parle de plafonnement gémellaire, de limites génétiques et d'autres notions toutes aussi abstraites.

Selon lui, notre condition de jumeau s'avérera un handicap permanent.

Il continue à brûle-pourpoint son exposé sur l'intelligence, sur les jumeaux et sur les… demi-cerveaux.

Encore ! nous exclamons-nous en nous pointant du coin de l'œil.

# 46

# Zéro absolu

Le lendemain, l'instituteur, tout empreint de gêne, nous convoque.

Nous en déduisons qu'il se repend et qu'il va s'excuser.

– Votre intelligence est excellente, vous ne devez pas en douter, laisse-t-il tomber.

Nous voici rassurés.

– Mais, guère plus ! Disons le mot, elle est bornée par le temps.

Sa déclaration nous interloque.

– Vous ne pourrez entreprendre d'études spéciali-
sées à moins que vous ne vouliez découvrir vos limites,
vous confronter à l'échec.

L'intelligence aussi aurait des hauts et des bas?

– Et surtout, si vous aimez vous vautrer dans les
bas-fonds de la nullité.

Jusqu'où encore?

– Et, une fois en pleine descente, que n'atteigniez-
vous pas le zéro-point-absolu de l'insuccès?

La conclusion vient, ne pouvant nous atterrer
davantage.

– Aussi, je ne saurais vous recommander auprès
d'une institution scolaire supérieure, décrète-t-il du
haut de sa chaire.


Par manque d'énergie, nous ne pouvons alimenter
cette discussion et quittons poliment sur-le-champ ce
prophète de disgrâce.


Que sommes-nous si désarmés, si peu préparés et
toujours si dépourvus face à telle argumentation!


Un doute cependant effleure à peine notre esprit.

Nous établissons un rapide bilan des connaissances
acquises au cours de notre dernière année scolaire.

Nous nous étonnons d'avoir tant appris.

Nous sommes d'avis que cet instituteur de même
que notre première institutrice ont dû être formés à
une même institution, à une autre école, une moins
bonne.

De la maison, nous entreprenons, à son insu, des
démarches d'expatriement, des projets d'études supé-
rieures avancées pour septembre.

57

# La vérité

Nous passons des examens d'entrée pour le collège.

Heureusement, on ne nous demande pas de lettres de références de notre titulaire.

Nous nous concentrons sur notre prochain avenir.

Pour nous, c'est surtout et d'abord l'annonce du début de la grande aventure.

Rien ne nous effraie plus.

Se sachant sur le sentier de l'exploration, nos corps arqués défient toute nouveauté.

Nous avançons plus loin sur la voie de la découverte.

Un soir pourtant, sans crier gare, la vérité nous tombe droit sur la table.

Naufragés, à la merci des autres, nous nous retrouvons au bord de l'abîme.

Le collège ne veut pas nous accepter en entier.

Trop de risques de confusion, crainte d'irrégularités et, de plus, la décision est sans appel, souligne-t-on.

Bienvenue à l'un.

Mille regrets pour l'autre.

# 48

# Syndrome

Nous vivons sur le coup une sensation nouvelle, du jamais ressenti.

Quelque chose, comme un serrement, s'empare de notre gorge, l'assèche.

Et, en même temps, obstrue notre esprit.

Abasourdis par ce jugement, nous ne trouvons pas la force de nous indigner.

Ne sommes-nous pas, de plus, les indignes?

Nos parents, nos voisins, le curé même, déplorent notre déchirement.

L'expression de leur empathie n'en demeure néanmoins que gratuite.

Notre mutisme les inquiète.

Pour plusieurs, c'est la peur de se retrouver tout fin seuls, sans reflet devant soi.

Pour d'autres, c'est de la légère appréhension, de la pure panique ou simplement de la fausse insécurité.

Une très passagère insécurité.

– Vraiment pas de quoi s'alarmer, soutiennent la plupart.

– Aussi, vous n'auriez jamais dû les habiller toujours pareillement, blâment certains.

– Au contraire, l'habit n'y est pour rien.

– Tout n'aurait-il pas été dans la manière de…

Pour nous, ce sentiment s'appelle simplement la crainte aiguë de l'amputation, le syndrome de la vivisection.

En silence, nous nous retirons de ces gens pour nous concentrer en nous.

Une présence évanescente émerge de notre corps et dépose en notre esprit un irrévocable sentiment.

L'angoisse.

# Gouffre

SUITE à cette décision, ce nouveau sentiment s'installe profondément en nous, comme invincible.

Une peur qui nous saisit à la gorge et qui nous broie les entrailles.

Terrassés.

Nous voilà dorénavant devant un avenir sans visage, sans perspective, sans brèche… devant rien.

Il n'y a rien à voir, sauf un immense néant, un gouffre à n'en plus finir.

Tout mène à une déchirure.

La perte de l'autre s'annonce inéluctable.

L'impuissance nous habite et nous subjugue.

Nous ne savons contre qui, ni contre quoi nous opposer.

Comme nous ne savons ni n'avons jamais su vers qui nous tourner.

N'avons-nous pas toujours navigué à deux?

Neuf mois avant que la lumière nous assaille, n'étions-nous pas en plein bourlingage?

Hier encore, nous ramions, nagions vers l'abordage, défiant les coups de semonce.

Une simple missive, et la planète culbute.

Aujourd'hui, l'inexploré nous effraie.

Comme si l'inconnu se revêtait de l'absence de l'autre.

# Culpabilité

NE pourrons-nous jamais vivre l'un sans l'autre ?

À quel rythme marcher si on ne connaît pas la cadence de l'autre ?

Comment manger si nos coudes ne se côtoient plus ?

Vers quel corps se tourner si le lit est vide ?

Que dire si nous n'entendons pas les mots de l'autre, n'en connaissons ni le ton ni le but ?

Que faire ?

À quoi penser ?

Comment être seul ?

Serait-ce donc que la dissemblance existe ?

Jamais, on ne nous a inscrits à l'école de la distinction.

Comme personne ne nous a appris à vivre différemment l'un de l'autre.

Ni personne ne nous a jamais initiés à la singularité.

Depuis toujours, nous fréquentons l'école de la fusion, de la symbiose, voire de l'osmose.

Ces dernières réflexions surgissent en nous et nous ébranlent démesurément.

Nous nous sentons de plus en plus adhérer à la confusion et à l'égarement.

Alors, nous nous rapprochons plus près l'un de l'autre, oubliant un instant les conséquences de cet abominable verdict.

Aujourd'hui, des puissants de l'extérieur, de purs étrangers, nous condamnent à l'errance à perpétuité.

Un collège supérieur, avec toute son érudition et au nom de la vérité, s'affirme en nous déclarant coupables d'être jumeaux.

Jamais notre communauté n'est allée si loin contre nous.

Nous craignons dorénavant toutes mains étrangères, si faibles soient-elles, qui nous tournent sans préavis des pleines pages d'histoire.

# 51

# L'usine

NOUS devons amasser un pécule pour septembre.

Depuis la fin des classes, nous nous rendons à l'usine chaque matin pour y quémander du travail.
Certains jours nous sont passablement cléments.
D'autres, par contre, s'avèrent tout à fait infructueux.

Chaque vendredi, quel que soit le montant, nous déposons à la banque la totalité de nos enveloppes de paye.

Au début, notre été ressemble plus à celui des cigales.
Nos heures de travail ne fourmillent guère.
Pour être francs, elles permettent à peine de nous payer quoi que ce soit.

Les jours où seul l'un de nous est retenu pour travailler, des ouvriers malveillants rapportent aux patrons que nous les trompons.
Nous faisons, disent-ils, du temps partagé, soit des demi-journées chacun.

– Voilà pourquoi ils ne succombent jamais à la tâche, clament-ils.

Pour eux, il ne pourrait y avoir rémission pour pareille inconduite.

En répandant ces faussetés, ils cherchent à nous diminuer, à nous discréditer.

Ils nous tiennent, croient-ils, en leur pouvoir.

Ils l'ignorent encore mais, très bientôt, nous ne resterons plus à leur merci, ne resterons la proie de leur sentiment.

# 52

# Les rôles

UN après-midi, en plein devoir, on nous offre à tous les deux des semaines complètes, mais de nuit, soit de dix-neuf heures à six heures.

Rapidement, nous multiplions six jours par dix heures.

Nous connaissons ainsi le temps que nous passerons à travailler ensemble.

Nous nous en réjouissons.

Cependant, nous devons commencer ce nouvel horaire de travail ce soir même, dès dix-neuf heures, soixante minutes exactement après avoir déjà bouclé une journée de dix heures de labeur.

Aujourd'hui, en nous jumelant au travail, les patrons veulent vérifier notre endurance individuelle, croyons-nous.

Durant les nuits, nous veillons à ne pas changer de rôles.

Malgré le faible salaire, nous respectons nos affectations respectives.

Quand il y a bris de machine et qu'il n'y a pas trop de bruit, les ouvriers racontent parfois des histoires à nous empourprer les oreilles et les pommettes des joues.

À d'autres moments, ils rapportent des anecdotes à n'y rien comprendre.

Leurs éclats nous laissent perplexes.

Quelle que soit la plaisanterie, nous nous dépêchons de l'oublier.

Certaines nuits, un ouvrier essaie, à la dérobée, de nous pincer une fesse ou de nous tâter la braguette.

Nous nous sauvons quoique nous ne nous en offusquions point.

Nous l'excusons.

Son cœur a sûrement ses raisons, présumons-nous.

# 53

# Couperet

Nous nous levons et, pour la dernière fois, faisons notre lit ensemble.

Tout dort.

La vie est résolument éteinte.

Tous les volets sont clos.

Le silence règne partout, dans la chambre, dans le passage, dans toute la maison.

Tout est silence, sauf en nous.

Il n'y a de place que pour le cœur.

Il ne cesse de nous bombarder, de s'accélérer et de ponctuer chaque battement plus intensément.

Nous obstruant l'esprit.

Les mots ont perdu leur portée, leur pouvoir.

Ils sont inutiles.

Ce que nos corps vivent est encore innommé.

Ce que notre âme ressent est plus que jamais innommable.

Un fait demeure inéluctable.

Dans quelque deux heures, l'exécution aura lieu.

La société vient, pour les années à venir, de pourfendre non seulement notre homogénéité, mais aussi notre cohérence et notre cohésion.

Le couperet tombera inéluctablement sur notre cordon gémellaire.

Les conséquences d'un tel acte relèvent de l'incommensurable.

Nous souffrons de notre impuissance, de notre faiblesse, de notre isolement.

Il n'y a personne, encore absolument personne, vers qui nous retourner.

Nos parents sont là, sans mot, sans geste, sans larme.

Nous les découvrons impuissants ou résignés.

Nous n'en faisons pas la distinction.

Ils ne sont que regards pleins de tristesse, de regret et d'abnégation.

# 54

# Coude contre coude

Nous déjeunons une dernière fois coude contre coude, en silence, tout à l'écoute de la douleur de l'autre.

Nous nous penchons sur la souffrance de l'autre.
Anticipant atrocement l'absence.

En reviendrons-nous seulement ?
Que nous en remettrions-nous !
Le doute est permis, quoique inutile.

Nous nous concentrons sur les heures à venir.
Nous intensifions chacune des minutes qui passent
et réussissons à les retenir.
Impossible de les ralentir davantage.

– Il ne saurait tarder, glisse notre mère.
Le décompte se met en marche.

Nous devinons le temps et ses limites.
Mais ignorons l'autre temps, celui que nous passe-
rons sans l'autre, sans l'alter ego.
À quelle nouvelle dimension accéderons-nous ?
L'impuissance à savoir nous contraint au silence.
Un imposant silence.
Vide et creux.

Un coup de klaxon nous saisit le cœur.

# 55

# Les malles

Nous descendons les marches de l'entrée les mains
agrippées à la rampe du gouffre.

Nos deux malles sont là, fin prêtes, bien alignées
dans l'étroit vestibule.

Nous ne pouvons les ignorer, tellement elles sont énormes, encombrantes.

Tellement elles pèsent lourd sur notre gémellité.

Une gémellité de mille morceaux que nous avons équitablement partagée et soigneusement rangée en elles.

De larges mains travailleuses se penchent, les saisissent.

Et les déposent sans atermoiement sur la plateforme d'une camionnette.

Nous saluons nos parents, très simplement.

– Vous aussi, comme l'autre, vous ne reviendrez plus nous voir, prophétise notre mère.

Il n'y a pas de réponse à donner.

Leurs dires sont plus malhabiles que judicieux.

Énoncés ainsi, ils ressemblent plus à des reproches teintés de directives et de blâmes, qu'à une expression de condoléances, de compréhension et d'invite.

Le camionneur se retire, non pas tant par révérence que par embarras.

Notre père nous tend la main, notre mère, la joue... guère plus.

C'est tout ce qu'ils ont appris à avancer.

Nous acceptons ces offrandes.

# 56

# Départ

NOUS n'avons pas beaucoup de peine à les quitter.

Nous les connaissons si peu.

Ne les ayant fréquentés que par nécessité.

Nous les quittons sans plus attendre, plus préoccupés par l'autre moi que par eux.
Nous fermons derrière nous la porte du connu.
Tout le présent se module.
Il n'est plus de jeux, de références, de souvenirs qui tiennent.
Il faudra bien partir !
Le conducteur est impassible.
Nous nous approchons de la fourgonnette et pénétrons dans sa cage.
Une suite de soubresauts nous secouent.
Le paysage avance.
Écrasés l'un dans l'autre dans l'étroite cabine du véhicule, nous nous retournons et voyons la maison s'estomper.

Nous n'avons nul besoin de nous regarder.
Tout se passe en nous.
Nous pointons un ultime regard vers la sombre fenêtre.

Ils sont là, seuls, avec un double silence de plus dans la maison.

# 57

# Le collège

La camionnette s'immobilise près des portes principales du premier collège.
Un édifice gigantesque, démesurément monumental, nous obstrue tout l'horizon.

Nous voyons des étudiants en désordre partout sur les parterres.

À vue rapide, aucun ne nous semble familier ni invitant.

Nous insistons pour transporter nous-mêmes l'une des malles au-delà des épaisses portes, cent quatre marches en amont, jusqu'au dortoir des nouveaux arrivants.

Nous en croisons plus d'un qui s'étonne de notre similitude.

Aucun d'eux ne paraît vraiment différent de nous, sauf à un détail près.

Ils sont uniques, eux aussi, mais individuellement uniques.

Nous étirons le temps jusqu'à la limite du possible avant de retourner à l'extérieur.

Les mains sur l'embrayage, le camionneur nous attend.

Sa journée est loin d'être terminée.

Il a un deuxième passager, l'autre, à reconduire et une dernière malle, celle de l'autre, à livrer dans une lointaine institution.

Le démarreur vrombit.

# 58

# Adieu

IL est maintenant l'heure de nous détacher.
Nous nous regardons.

Nous attendons tous les deux que l'autre réagisse, oubliant que l'un et l'autre ne font qu'un.

Nous devons réagir simultanément, nous le savons, mais nous l'évitons en retardant encore plus l'échéance.

Une paralysie générale nous occupe et fait nous ralentir.

Notre for intérieur refuse systématiquement quelque signe, jusqu'au plus petit terme de civilité.

Nous perdons tout, pieds et tête.

Nous nous égarons, même dans la convenance.

À dire vrai, nous ne savons pas comment nous dire au revoir ni à bientôt.

De plus, nous ignorons la portée du mot adieu.

Alors, comme tout le monde, nous nous donnons la main.

De notre vie, c'est la première fois que, par respect pour les conventions, nous avons à nous serrer la main.

# 59

# Disjonction

Nos corps se distancent l'un de l'autre.

Le moment est depuis longtemps venu de nous distinguer, de nous discerner.

Nous rejoignons le maître de bord, le chef de cette funeste expédition.

La portière se referme.

Nous adhérons à une insolite et indéfinissable dimension.

Nous sommes deux pour une dernière fois.

Nous sommes un couple en état d'éclatement, une paire en voie de disjonction.

Notre perception des événements se modifie aussi ostensiblement.

Le temps s'étire à n'en plus mourir.

La camionnette n'en finit plus de s'éloigner.

À son bord, la demie de nos corps habitée par notre âme tout entière.

Nous tournons notre tête pour nous saisir du regard le plus longtemps possible, peut-être nous retenir encore s'il n'est pas trop tard.

La page se tourne sur un minuscule point mourant à l'horizon.

Il n'y a plus rien à voir.

L'escalier est pénible, les marches démesurées, les portes lourdes et le hall d'entrée immense.

Les rideaux se ferment.

# 60

# Néant

POUR la première fois et pour toujours, notre corps se découvre isolé, infiniment petit, dénudé de sens, sans souffle, sans esprit, sans espoir.

L'air se raréfie.

Notre gorge s'assèche.

L'âme totalement vide, nous nous retournons vers l'incontournable porte.

Résignés et las, nous n'avons ni la volonté de la rouvrir, ni la force de crier notre stupéfaction et notre effroi.

Cette porte vient d'engloutir notre passé en nous coupant du seul lien avec la vie.
Pis encore, elle est à écrouer en ce moment même notre présent.
Une réclusion, sans espoir de grâce.

Nul avenir, nulle attente.
Le néant.
Point final.

Nous nous effondrons, tenant dans la main le cordon gémellical fraîchement sectionné.

# 61

# Hibernation

IMPUISSANTS.
Nous sommes pétrifiés devant telle situation, devant pareille fatalité.

Les couloirs se déroulent en un prolongement infini.
Les escaliers ne cessent de se monter et de se dévaler sans raison apparente, machinalement.
Notre lit, pourtant si étroit, s'élargit du coucher au lever.
Dans une salle d'étude bourrée de pupitres, de livres, nous nous découvrons seuls, au milieu de mille bruits étouffés et inintelligibles.

En classe, nous déambulons clopin-clopant d'une matière à une autre.

Nous longeons les murs de la cour extérieure de peur de nous perdre alors que nous nous sommes déjà perdus.

Nous nous anémions.

L'œil vide, l'épiderme bleuissant, nous entendons notre sang ralentir.

Sans âme, un cœur ne peut qu'hiberner.

De guerre lasse, un malaise s'installe.

Un malaise occupant de plus en plus les lieux.

Un malaise nous envahit de toutes parts et nous gruge jusqu'à la plus petite parcelle de vie.

Jusqu'à ce qu'il n'y ait plus un seul fragment d'espace.

Inévitablement, ce jour-là, c'est la débâcle.

# 62

# Amnésie

EN quelques secondes, cette souffrance nous empoigne en aspirant de notre corps les dernières particules d'énergie.

Elle extirpe tout de notre mémoire, les moindres souvenirs.

Nous hurlons de toutes nos entrailles, le ventre prêt à s'éclater dans l'absolu.

Une fièvre se met à circuler en nos veines.

Nous brûlons et gelons à la fois.

L'ordre en nous et autour de nous se renverse.

Nous cédons presque.

Nous nous retenons.

À la fin, nous nous écroulons sous le poids de l'inanité et de l'absence.

Le temps de râler une éternité.

Un grelottement hérisse la surface de notre peau et s'insinue en nous.

Un voile noir descend et nous enveloppe tout le corps.

Des mains aseptisées nous soulèvent pour nous mener aux portes de l'espérance.

# 63

## Ombres et murmures

Nous entrouvrons légèrement les yeux.
Une faible lueur tamise la pièce.

Des ombres étrangères, aux murmures feutrés, circulent chaque côté de nous.

Nos yeux refusent de les voir, de les discerner.

Nous annulons toute correspondance avec ces voix sans chaleur ni exaltation aucune.

Nous nous réfugions immédiatement en nous où il fait noir, profondément noir, confortablement noir.

Nous sommes mieux ainsi, même si notre corps a encore peine à se mouvoir.

Un sentiment de vacuité nous atteint cependant le creux de l'être, nous enjoignant de nous laisser glisser dans le néant.

Tout à coup, des mains s'emparent de nos viscères et arrachent le segment qui nous lie à la mort.

Notre ventre entier hurle et hurle plus fort, toujours plus fort.

Le silence peu à peu réintègre notre corps.

Tout redevient calme, une étale paix se prolongeant jusqu'à l'horizon.

Nous remontons à coups de cillements vers la lumière.

Tout au long de cette ascension, l'agitation comme l'inquiétude surgissent et nous accompagnent.

La réalité nous saisit.

# 64

# Paralysie

Nous sommes nus, étalés sur un vaste lit blanc.

Connecté à un cordon artificiel, notre corps se met à suer abondamment d'agonie.

Nous sommes paralysés.

Nos mains ainsi que nos pieds n'obéissent plus, ils ont perdu le souvenir des ordres.

Il n'y a donc plus de gestes.

Nous cherchons des mots, il ne vient aucune lettre.

Elles ont repris la route de l'oubli.

Nous espérons en vain les mains des autres, les paroles des autres.

Plus rien ne se manifeste, c'est le silence tout autour de nous.

Nul signe de notre frère, de notre sœur.

Personne ne semble s'inquiéter.

Notre mère non plus.

Toute communication est interrompue.

L'espoir se retire.

Nous nous blottissons alors dans notre intérieur, bercés par un léger ronronnement.

Nous nous délectons de ce bruissement.

# 65

# Éclipse

NOUS entendons ce bruissement peu à peu s'éloigner.

Il se retire, s'éteignant de plus en plus.

Dans peu de temps, sans faire d'éclat, il s'effacera, lui aussi, à tout jamais, naturellement.

Avec lui, s'éclipseront pour toujours une âme et deux corps, souhaitons-nous.

Au moment où il doit disparaître, le murmure se ravise et revient en douce.

Nous nous en saisissons aussitôt pour nous en délecter encore davantage.

Dieu! Que nous bénissons ce moment!

Nous nous laissons glisser en toute crédulité et en toute volupté vers ce murmure.

Juste le temps de l'atteindre, juste, juste à peine le temps de s'y faire.

Le voilà qu'il repart.

Qu'il s'éloigne.

Qu'il nous échappe.

D'emblée, nous empruntons sa direction et remontons sa voie.

En route vers l'éternité, s'il le faut !

# 66

# Séisme

UN frisson soudain nous séisme.

Ce bruit inattendu, progressivement, s'amplifie en nous. `

À ce moment précis, un spasme nous secoue du fond, du profond de nous-mêmes.

Nous nous concentrons et distinguons une cause possible de ce dérangement.

L'objet se précise, se confirme.

C'est la manifestation de la vie, l'arrivée très imminente de l'indispensable.

Nous assistons au retour de l'âme, celle à l'épreuve de tout, même du néant, celle capable de tout, jusqu'au dédoublement.

L'âme de la symbiose.

L'âme partagée.

Le commensalisme incarné.

Alors, cette symbiose se répand en tout notre corps.

Avant d'émerger de chacun des orifices, elle contraint nos poumons à percer un puissant cri à la survie.

# 67

# Égarement

Nous voilà distincts de corps, nous voici définitivement différents d'esprit.

Une étrange sensation nous coule dans chacune des vénules du corps.
Nous ne nous reconnaissons plus.
Un détachement, comme un abandon, tel une dérive, nous assaille sans merci.
La symbiose agissant, nous nous sentons davantage arrachés l'un de l'autre.
Déviant vers l'éclatement, l'âme en fuite.
Peut-être est-ce l'autre qui s'égare ?
Nous ne nous identifions plus à l'autre, ou si mal.
Nous ne nous suivons plus, ou de si loin.
À chaque pensée, l'autre s'estompe, se voile jusqu'à presque disparaître.

Un nouvel horizon s'irise.
C'est comme si l'autre se retirait de l'un.
Nous nous découvrons partagés entre notre moi et l'autre moi.
Assisterions-nous en ce moment précis, sans nul témoin, à un suicide gémellaire ?

# 68

# Naissance

Alors surgit l'évidence.

Un « Je ».
Le « Je ».
Mon « Je » vient de naître.
« Je » existe.
« Je » vis au singulier.
Sans un autre, sans l'autre.

Désormais, nul besoin de quiconque pour être, pour faire et pour devenir.

« Je » nous distingue.
Je me distingue.
L'âme et la chair distinctes.

Je saisis soudainement l'identité complète de mon être, celle de mon corps et de mon esprit réunis.
Je l'instruis d'une nouvelle identité, d'une totale autonomie.
Peu m'importe les formalités.
Je me couvre d'un prénom et quitte sans regret ce trop vide et froid lit blanc.
Je pars en quête de singularité.

# 69

# La certitude

Je sens soudain une béatitude naître en moi une quiète béatitude, du jamais senti, du moins, pas depuis le temps des nuits partagées.
Un sourire, un sourire de certitude, faible encore, me part du tréfonds de l'être.
Il me frôle le cœur et monte pour s'épanouir sur mon visage.

C'est une certitude sans équivoque.

J'ai la conviction qu'il est là, peut-être en moi, peut-être ailleurs, en celui-ci, en celui-là.

Il existe, il vit, je le sens.

Mon jumeau est là, quelque part, tout autour, tout près, à portée de vue, à portée de main.

Il me suffit non seulement de voir, mais de bien voir, me dis-je.

Alors, timidement d'abord, je lève les yeux et j'observe mes proches.

Un rien m'aveugle.

Je doute un instant de l'efficacité d'une telle démarche.

Je me repens.

Je scrute.

J'épie plus que jamais.

Il m'en demande tant de sonder les êtres !

Ne faut-il pas que je m'ajuste à une commune mesure ?

J'en repère d'aucuns.

Je m'y concentre.

Je distingue en eux de vagues gestes, de quelconques traits, des pointes de regard, des presque propos, en bref et surtout, des bribes certaines de l'autre.

# 70

# Fusion

JE le sais.

Mon jumeau est là, ou c'est moi qui suis là, parcelé en des confrères, des professeurs, des voisins, des amis, voire, en des quidams, des purs étrangers.

Je nous reconnais.

Il y a tant de souvenirs à récupérer !

Tant de regrets à effacer !

Tant à apprendre !

À découvrir !

Avec tantôt l'un, avec tantôt l'autre, il y a un monde à parcourir ou à conquérir.

Il y a une vie à comprendre et un vide à combler.


Dès lors, je le sais, et pour toujours, mon jumeau ne sortira jamais de mon corps.

Je saurai le reconnaître en quel corps se dissimule-t-il !

J'ai un jumeau à accomplir, une cellule fraternelle à recréer.

J'ai quelqu'un à fusionner.

Je le trouverai où qu'il soit.


Qu'importe si ce n'est pas le même chaque fois.


# 71

# Quiétude


L'EUPHORIE se dissipant et la lucidité s'installant, je dois admettre un point.

J'ai perdu le contrôle de mon intime gémellité.

Je dois dorénavant composer avec les autres.

Ceux qui sont là, tout près.

Je les sens partie prenante, malgré eux.


Je refuse de les prendre en otages.

Je repousse cette aventure partagée pour ensuite l'annuler définitivement.

Je me distance alors du passé.

Ignorant tous et chacun.

Je réapprivoise, pour mieux dire, je réinvente la quiétude.

Avec le départ des réminiscences, s'estompe aussi le désir trouble de l'alter ego.

Et inversement plus proportionnelles sont la crainte et la hantise de revivre quelque déchirure.

Je porte malgré tout, sans nulle condescendance, un regard gémellaire sur mes proches.

Je pars mendier la singularité.

J'avance vers d'aucuns.

J'hésite.

J'ai peur.

Je recule d'autant.

Un mélange d'appréhension et d'audace m'envahit.

J'aimerais tant l'apercevoir, le reconnaître, si partiellement soit-il, en celui-ci, en celui-là, le reconstituer.

Alors, me laisser glisser en cette survenance.

Qu'il est doux le temps où nous nous fondions l'un dans l'autre !

# 72

# Initiation

J'OPTE définitivement pour la normalité, pour la singularité par une simple insertion sociale.

En me révisant ainsi, je décline partant une gémellité à la pièce et à tout venant.

Je repousse le désir de cueillir chez l'un ou chez l'autre la part de gémellité qu'on m'a extirpée.

Je me dérobe sans pour autant récupérer ma part ravie.

Je me retire, loin, très loin.

En me taisant ma propre gémellité, je me disjoins de mon autre moi et surtout de moi-même.

Dorénavant, je me limite à quelques pairs, m'interdis quelconque relation, si particulière puisse-t-elle être.

Nouvellement arrivé en terre d'immersion, je deviens nourrisson me gorgeant de singularité.

Novice, accédant à la vérité universelle.

Étranger à cette singularisation, je m'inscris à l'école du par-delà-la-simple-appréhension.

À la frontière de l'unicité et de la duplicité, je ne vise rien de moins que la complexification.

Dès lors, je ne suis plus jumeau, je suis un, un être seul, inscrit à l'indivisible et à l'incomparable.

# 73

# La tentation

LA tentation s'avère encore forte de me réfugier dans le gémellisme.

Je résiste pourtant.

Je frôle tant de gens.

Je ne puis m'empêcher de détecter chez certains des points communs, de percevoir chez d'autres certaine ressemblance, un semblant de référence.

Je côtoie l'un plus souvent que l'autre, je succombe, je me relève.

Parfois, je me surprends à butiner de corps en âme, d'âme en cœur.

Je me sèvre tout autant.

D'autres fois, l'instant d'une étincelle, je me livre au hasard et me délecte de l'herbe fraîche.
Je savoure l'esprit piquant ou moqueur de celui-ci.
En silence, je m'enivre du geste complaisant ou charmeur de celui-là.
Je le reconnais dans la démarche de certain, dans le sourire de l'autre, dans le regard de ce dernier.
Partout et facilement reconnaissable.
Tous me le rendent conforme.

# 74

# La soif

CERTAINS soirs, il apparaît clairement dans quelque corps.
Il me suffit d'un seul geste, d'un simple mot, d'un moindre signe et je recompose la consubstantialité perdue.

Je m'approche alors un peu plus près, très près.
Souhaitant qu'il me reconnaisse.
Qu'il étanche ma soif.
Espérant sentir son souffle caresser ma joue, sa main effleurer mon bras.
Entr'apercevoir son cou et la courbe naissante de son épaule.
Du regard d'abord, puis de la main, le dépouiller lentement de tout vêtement, me dépouiller tout autant.
Le retrouver tel qu'il était, tel que nous étions, nous approcher davantage et alors, nous prendre.

Nous serrer dans nos bras, nous étreindre tendrement, nous fondre.

Ne devenir qu'un, un seul corps et une seule âme.

Nous étendre, membres joints et corps ravis, nous assoupir, ainsi enroulés l'un tout autour de l'autre.

Nous laisser reculer jusqu'au temps jadis, au temps d'avant la première lumière, en plein amnios.

Nous y blottir, nous y endormir... pour ne plus jamais, au grand jamais, en renaître.

# 75

# Échange

IGNORER les appels des autres, des singuliers.

Surtout ne pas réamorcer la grande montée vers la lumière.

S'emplir de silence et d'infinitude.

Entendre le clapotis du liquide séreux.

Nous laisser errer dans cette eau primale.

S'y baigner longtemps et toujours, y perdurer.

Cependant, je m'y refuse.

Rêve illusoire.

Je reviens, soif inassouvie.

Je m'assimile aux singuliers.

Les bras fermés.

Je refuse de m'ouvrir sur quelque partage, quelque complicité alors que je n'ai que de la douleur à échanger.

Furtivement, je me terre.

Je cache ma gémellité, non comme une tare ou une honte, mais comme une plaie béante.

Une blessure ouverte sur tout ce qui s'appelle souvenance, évocation.

En silence, je me maille une cotte.

# 76

# Sans tain

Avec le temps, l'absence a raison de la mémoire.

Un rideau opaque descend lentement et me voile définitivement le reflet de l'autre.

Une vie sans tain s'ouvre à moi.

Je me réintègre à la société, me fondant dans la masse et me moulant plus que jamais à la normalité.

Bref, je m'estompe.

Sans signe particulier, sans nulle croix, l'ongle maquillé, la cicatrice évanouie, je deviens monsieur tout-le-monde.

Quidam parmi les quidams, je voyage d'études en ateliers, d'occupations en professions, de villes en campagnes.

Je découvre les nouveaux mots à ne pas dire, les nuances à apposer, les regards à dissimuler, les gestes à retenir, les pas à ne jamais poser.

Jour après jour, je m'initie à la singularité.

Ainsi j'apprends comment coder, décoder, interpréter, supposer, deviner.

C'est le prix de la singularisation.

J'entre dans le hasard.

La vérité, si simple de jadis, se complexifie.

Le silence a perdu la parole, il est ou vide ou plein de contradictions.

Toute communication se transmet maintenant à pleins grésillements.

Les antennes ne réussissent pas à tout capter.

Le brouillard et la méfiance ont dès lors chassé la spontanéité.

# 77

# Dépouillement

LA nostalgie parfois m'invite.

Je m'accorde quelques secondes de mélancolie et replonge dans la période amniotique.

Je ne m'y retrouve plus.

Où donc est cet éden d'alors?

Pourquoi a-t-on changé décor et atmosphère?

La déception même me repousse.

Où est-ce la mémoire qui me trompe?

J'en reviens, d'autant plus vite, sans souvenir, sans bagage, sans manteau.

Je réintègre amèrement le présent.

Privé de regrets et d'efforts, je me dépouille de ma duplicité.

Nous nous ressemblions comme deux gouttes d'eau, je deviens goutte à fleur d'océan.

Je porte désormais seul ma propre dualité.

Dorénavant, nous marchons chacun notre chemin sans espoir, ni risque de carrefour.

Il ne me reste nulle lumière, si ce n'est la mémoire d'un vague miroitement.

# 78

# Le parloir

L'ANNÉE scolaire achève.

Les confrères préparent leurs examens en même temps que leurs valises.

Cet après-midi, il y a relâche.

La plupart rendent une dernière visite à un parent.

À tout instant, d'une voix friturée, l'interphone défile une liste de noms.

La cour se vide rapidement.

J'entrevois une longue journée.

Je me prépare à certains divertissements en me jumelant à quelques collègues qui, eux aussi...

À cet instant précis, la même voix crépitante retentit et me convoque illico au parloir.

Je gravis machinalement les premières marches.

Je croise un directeur étonné de me voir tantôt si près de la salle des visites et maintenant si loin.

– Quelle idée de se convoquer soi-même au parloir? laisse-t-il échapper perplexe.

Un doute me saisit.
Existerait-il encore vraiment?

# 79

# Visite

À GRANDS pas, j'atteins le vestibule.
Il est là, devant moi.

C'est bien lui !

Mon frère, mon jumeau, est venu, accompagné de notre sœur complice.

Je nous reconnais.

Le reflet se refait donc chair.

Une joie profonde monte en nous, nous teinte le visage.

Tout l'univers des mots et des sentiments se mêle et éclate sans agencement logique.

De nos yeux et oreilles, mille coups, mille pointes.

Nous nous croyions oubliés.

L'intérieur de nos corps se gave de l'autre, sans retenue.

Il n'y a ni bonjour ni salut, il n'y a que l'autre.

N'est-ce pas hier que nous nous serrions la main pour la première fois ?

Que nos corps, pour la première fois aussi, se distançaient douloureusement l'un de l'autre ?

Notre sœur se retire discrètement, elle reviendra demain.

Nos voix ont gardé la même intonation.

Nous sommes vraiment là.

Grâce à notre sœur, il a quitté un moment sa nouvelle patrie, sa lointaine contrée.

Il vient pour déposer en nous, en nous seuls, un jour et demi de vie, d'air pur.

Respirer, juste nous deux ensemble.

Lui aussi, il a recouvré un prénom.

Nous portons le même costume, seul varie l'écusson sur la poche du blazer.

Lui aussi, même en terre anglophone, il apprend les Cicéron et les Tite-Live.

Simultanément, il s'est égaré dans les guerres puniques.

Comme il s'est laissé distraire par la farce de Maître Pathelin et par les astuces du rusé goupil.

Nous disposons de trente-six heures pour nous rattraper et nous perdre l'un dans l'autre.

# 80

# Politesse oblige

À L'AUTRE collège aussi, il y a des terrains de balle au mur, des courts de tennis.

Par contre, les salles d'étude et les dortoirs sont beaucoup plus restreints là-bas.

À proximité de son collège, il y a aussi...

Politesse oblige.

Nous nous présentons à demi aux collègues et professeurs qui nous croisent.

L'abord est spontané, plein d'étonnement.

Les commentaires et des uns et des autres ne sont pas sans nous enchanter.

D'autres nous surprennent.

Un certain, suivi d'un presque certain et emboîté par d'autres plus incertains, sournoisement nous confrontent.

On ne savait pas que... Il serait vrai... Tu nous avais caché que... Tu ne nous avais pas dit que tu...

De l'acte d'une reconnaissance béate, on passe rapidement à celui d'une accusation fort inquiétante.

C'en est trop, nous nous retirons de ces gens pour nous concentrer une fois de plus en l'autre.

Oui ! Lui aussi, là-si-loin, il n'a pas dit que...

Comme moi et en toute synchronicité, il a pansé sa gémellité en totale claustration.

À personne, il n'a osé avouer sa souffrance, l'acuité de sa gémelléite, aiguë ou non.

Certes, il a rencontré, lui aussi, nombre de gens pareils à l'autre.

Parfois, autant que moi, il a succombé à l'un ou à l'autre.

Mais, chaque matin, il s'est relevé, plus grand encore, toujours plus semblable à quiconque.

Chaque jour, lui aussi, il fréquentait l'école de la singularité.

Nous nous métamorphosions au même rythme.

Chaque fois, un peu plus différents, un peu plus distincts de l'un par rapport à l'autre.

# 81

# L'ubiquité

LE lendemain matin, nous devons nous séparer un instant, le temps d'un test d'anglais.

Pendant ces quelques heures, nous offrons l'impossible aux singuliers, l'ubiquité.

Au retour de l'examen, nous profitons d'un bref moment à l'écart pour échanger nos vestons.

Nous amplifions ainsi l'ambiguïté.

Puisque nous sommes si identiques, pourquoi nous refuser, aux confrères et à nous, quelques moments de plaisir.

Nous leur servons la confusion la plus totale.

Le jeu se révèle fort simple, presque simplet.

Les réactions ne tardent guère.

Les extrêmes, une fois encore, se jumellent.

Les plus éclairés comme les moins perspicaces se lassent rapidement de la duperie.

La majorité cependant se délectent.

Nous avouons.

C'est notre deuxième abus de crédulité.

Nos amis et autres n'en attendaient pas moins de nous.

# 82

# Syllogisme

À QUELQUE temps du glas, un professeur nous décline un syllogisme pour le moins troublant.

Pour lui et quelques-uns de ses confrères, le raisonnement est fort simple.

– Vous savez, nous ne sommes pas dupes.

Aussitôt, nous mettons en doute cette prémisse.

– L'un de vous deux étudie en sol anglophone.

Que l'indéniable soit !

– Or, ce matin, pour l'examen d'anglais, le responsable de la salle d'évaluation a bien reconnu l'écusson du veston.

Il n'y a rien, pour maintenant, à réfuter.

– Mais... des vestons, cela s'échange, tout le monde vous a vus tout à l'heure...

Nous avouons que l'occasion était tendre...

– Et puis, le spectacle était fort amusant et surtout, révélateur, je le reconnais.

Donc...

Ses insinuations nous pétrifient.

L'interphone interrompt abruptement la démons-
tration accusatrice.

Nous le laissons seul à sa conclusion.

# 83

# Reconduite

NOTRE sœur, fidèle au rendez-vous, nous sollicite au
parloir.

Déjà !

Je reconduis mon jumeau jusqu'à la sortie.

Nous ne pouvons nous retenir plus longtemps.

Une autre fois, notre très for intérieur, se refuse à
quelque terme de civilité.

Nous le faisons pourtant, non pas tant par conviction que par souvenir, simple imitation.

L'histoire, ainsi plus que jamais, se répète à n'en
plus vivre.

Nous tentons, une fois de plus, de nous attacher du
regard le plus longtemps possible.

La vie, pour nous, ne tient maintenant qu'à un...
nous n'en savons vraiment rien.

Elle ne tient en fait à personne, à aucune valeur,
constatons-nous tout à coup et malgré nous.

Elle ne tient surtout pas à ce point, à ce minuscule
point qui se dissipe maintenant au loin.

D'autres pages, plusieurs pages, hors de notre
contrôle aussi, s'évanouissent à l'horizon.

Je me retourne et me découvre encore tout à fait
seul.

Les portes, les mêmes portes, se referment aussi lourdes et incontournables qu'hier.

Mon jumeau n'est plus.
Son éloignement n'est qu'un déchirement, toujours le même, encore un peu plus profond.

Son passage m'aura donné un bref répit, une pause nourricière, de quoi griser plusieurs de mes nuits blanches.

# 84

# Sans écho

LA mémoire des sens se substitue à celle du cœur.
J'en appelle à la singularité, la supplie, l'accueille.
Je me plonge en elle.
Une fois de plus, je me lave de toute gémellité et m'en assèche complètement.
Je quitte le collège pour assouvir ma soif de liberté.
En m'éloignant de mes collègues, je me distingue plus facilement d'eux.
Je me distance du même coup de tout ce qu'ils me rappellent.
Je m'écarte enfin de tous ceux qui m'ont connu.
Je profite de l'événement pour déchirer toutes les lignes écrites sous le signe de la duplicité.

Je m'inscris au « je ».
Je happe tout ce qui passe, sans tout retenir.
J'offre mes acquis, sans égard pour leur tarissement, conscient des règles et de la mesure.

Je m'attarde à tout ce qui se livre à moi, sans pour autant m'y soumettre.

Le bien-être et le bien-faire bien dosés et bien retenus.

J'adhère à tout ce qui m'intéresse, sans trop m'y attacher.

Entre deux strates, je nage à la frontière de l'offre et de l'accueil.

Je ne dépends de personne.

Je ne rends de compte à quiconque.

Je n'ai qu'un moi à vivre.

Un moi à vivre quotidiennement, au masculin singulier.

En même temps, je m'imperméabilise aux autres.

Je me narcissise sans reflet, sans écho.

Je plonge au plus profond de moi afin de ne pas me retrouver en lui.

Dorénavant, je recommence tout sans lui.

Il n'existe plus.

Je retourne à zéro, au néant.

Je m'exile.

Je me chambre tout fin seul au monde.

Je me transmue fils unique, orphelin et apatride.

Et pourtant, heureux.

# 85

# Mirages

BIEN sûr, des souvenirs surgissent, des hasards déconcertent, des accidents évoquent.

Au fur et à mesure des manifestations, je leur donne de moins en moins de regard.

Si je ne les provoque, je ne les repousse pas pour autant.

Un jeu de miroirs dans une devanture de magasin me projette son image.

L'instant d'un éblouissement, d'un éclair, mon cœur tressaille de le voir surgir de façon si fugitive.

Une image répercutée comme un écho, comme un écho simple.

Un bref vertige de l'âme.

Un reflet éphémère.

Je ferme les yeux.

Un mot, une phrase, qui jadis nous étaient communs, s'échappent et... je suis touché.

Il est là, à proximité.

Surtout, je n'y réponds point.

En m'astreignant au silence, je m'en remets d'autant mieux.

# 86

# Effroi

IL suffit qu'une inconnue me salue chaleureusement, qu'une autre me saute au cou ou que celui-là se surprenne de me voir ici, si loin de chez moi, pour que je les arrête et leur décline l'identité de l'autre.

D'autres fois, je leur montre papiers et...

... sans en entendre davantage, ils reculent d'un pas.

Ils s'éloignent, assombris par la confusion.

Je ne les intéresse pas.

Non ! Je les effraie.

Ces jours-là, je porte en moi l'horreur, l'horreur inévitable de la gémellité.

Combien se méprennent et s'en offusquent !

Ne préfèrent-ils pas alors m'en attribuer, à défaut de préméditation, tout au moins la faute ?

Ceux-là, par cette implacable sentence, me rendent unique responsable.

Ils exigent presque, par surcroît, justification et excuses.

Pour la énième fois, je porte en moi la culpabilité d'être jumeau.

Combien d'autres se trompent sans l'admettre !
Combien doutent !
Combien se taisent !

À la longue, lassé de regrets et d'explications, je me lave de tout ressentiment.

Emporté par le vertige du miroir, combien je trompe !

# 87

# Jeu d'erreurs

CERTES, chaque fois, c'est la confirmation que l'autre est toujours là quelque part.

Il est révélé par celui-ci ou évoqué par celui-là.

L'émoi apaisé, je m'attarde sur ces méprises.

L'aveuglement ou le manque de discernement de certaines gens ne peuvent que me déconcerter.

Ce jeu des erreurs me ramène inévitablement à lui, me confirme implacablement notre ressemblance.

Alors, j'ai peur, non pas de le reconnaître, mais de ne pas me reconnaître en lui.

Oui, j'ai peur de ce que je suis devenu sans lui.

Je vivais avec un jumeau dans le cœur, aujourd'hui, sans lui, je suis comme un animal sevré de raison et de sang, tenté par d'étranges instincts pour survivre.

Aujourd'hui, je me découvre en celui qui doit préserver à tout prix la cellule gémellaire.

Alors, je saisis tout ce qui passe pour nous retrouver.

Je m'arrête à tous ceux qui pensent le saluer, pour être un tant soit peu avec lui.

Nous nous rejoignons ainsi par des collègues, par des amis et parfois par d'étranges tiers.

Grâce à des quiproquos, nous redevenons jumeaux par les autres.

Ces inconnus, ces faux intimes, tels des catalyseurs, nous rapprochent, malgré tout, tellement l'un de l'autre.

Ici, ce sont des étrangers qui me le ramènent.

Ailleurs, c'est un compagnon, un collègue ou un camarade qui m'y reconduit.

Alors, à chaque méprise, je sursaute étonné, ému et surtout avide.

# 88

# Sens unique

SANS circonlocution aucune, je choisis par-devant de devenir jumeau avec, par et pour les autres.

Malgré moi, je n'ose me retenir, je me complais tant à succomber dans ce gémellisme éphémère.

Dominé ou dominant, médium ou bien victime, celle-ci ou celui-là n'est jamais conscient, ne serait-ce l'instant d'une communication intuitive, de la relation symbiotique.

Tout se passe en silence, le plus toujours à sens unique.

Je savoure ces secondes volées aux autres.

Couvert de remords, j'efface de ma mémoire ces moments.

Je m'éloigne de tout, même de lui.

L'absence se prolonge au point de voir s'estomper son visage, son corps.

N'aura-t-il jamais existé ?

Notre cellule aurait-elle déjà éclaté ?

Alors, par instinct plus que par réflexe, j'ai souvenance d'un reflet, d'un mirage.

Le mirage de celui que je reconnais à peine, même dans mon propre miroir.

# 89

# À l'écoute

À CERTAINS moments, de faibles vibrations, telles des signaux codés, m'atteignent l'âme et me troublent.

C'est lui, il est là.

Alors, je plonge de toute mon énergie dans les méandres de ces presque inaudibles messages.

Il va parler.

Je le sais.

Il le doit.

Je m'obstine à l'écoute.

Tout est mort.

Exténué, j'annule les séances intensives.

Je me fais sentinelle, en cas d'une simple éventuelle manifestation.

Qui sait !

Certains matins, je me cuirasse contre toute intrusion, toute atteinte.

Me sachant, par contre, vulnérable au moindre tir, à la moindre agression.

Aujourd'hui, je sais repousser d'un geste, de la main ou de l'œil, mirages et illusions.

Il émettra bien un jour une quelconque demande, une urgente sollicitation.

Ce jour-là, je serai au sonar.

Entre temps, un silence étrange me fait constater son absence, chaque jour, plus acérée.

# 90

## Sans réponse

— IL est indemne maintenant.

Mon frère aîné est au téléphone.

— L'accident n'aurait fait qu'une victime.

Qui est indemne ? Quel accident ?

— Il s'en remettra rapidement, tu sais.

Je n'écoute plus.

Il n'y a plus rien à écouter. Les détails n'apportent rien.

Je sens une douleur monter en moi.

Ce n'est pas la mienne.

Je la reconnaîtrais.
Serait-ce donc la sienne, ou celle d'un autre?
Ou une mienne, étrangère?

Non! Je le sais!
Ce n'est pas lui.
Il n'a rien envoyé ou je n'ai rien reçu.
Nul message, nul S.O.S., rien.

N'y aurait-il plus maintenant aucune correspondance entre nous deux?
Le doute s'infiltrant.
Et si nous étions de faux jumeaux, unis par une aléatoire ressemblance?
N'y a-t-il jamais eu de lien!
Nous voilà devenus silence, exilés à tout jamais de l'autre.
Force m'est de constater que dorénavant, je devrai être le seul protecteur de la cellule gémellaire.
Sans lien, sans correspondance, sans l'autre, je viens de toucher, pour la première fois, l'objectif ultimal.
Atteindre la singularité.

# 91

# Périple

JE parle d'un périple vers l'Est.
Un collègue, parmi les plus proches, me propose le Sud et pourquoi pas le tour du monde?
Il n'en faut pas moins pour me voir surgir hors de mes réflexions et propos.
Les préparatifs sont d'autant plus brefs que le départ est imminent.

Nous ouvrons toutes grandes les portes sur le monde et partons à sa conquête.

Le temps de quelques villes, de quelques étonnements, de quelques observations et... le voyage est compromis.

De fait, à peine sur l'élan, mon compagnon est aux prises avec l'adaptation climatique.

Le lendemain matin, sa décision est prise, il retourne au point zéro, soit directement à sa terre natale.

À l'aéroport, pendant des heures, je le vois à bord de chaque avion qui disparaît au-delà des collines.

Les vols épuisés, désespérément seul, je m'effondre.

Je me découvre, encore une fois, abandonné, sans horizon, au pied d'une infranchissable montagne.

Je plonge dans l'abîme, la naissante symbiose en éclats.

Il pleut longtemps, très longtemps.

# 92

# En amont

ÉPERDU, je me lève.

L'habitude aidant, je me ceins de mon havresac.

En lui, s'entrecroisent et s'entremêlent quelconque promesse de succès, vague gage de bonheur et faible espoir de survie.

Je serre d'un cran les attaches.

Les yeux encore à peine ouverts, j'entame le premier versant de la montagne.

Chaque jour, je pose un pas de plus vers le Sud.
Le sac à dos à chaque amont plus lourd.

J'apprends à aplanir mes joies et à atténuer mes peines.
Je me revêts de chaque village et encense un à un bourgs et passants.
Je note fidèlement chacun de mes passages de peur de les oublier.
Je plonge à corps perdu dans la foule et m'en laisse pénétrer pour mieux la saisir.
En lui livrant mon corps, je lui ferme du même coup ma mémoire.
Je ne suis qu'étranger balloté par la masse, un être connecté à toute ramille, réceptif à toute particularité.
Ne suis que passant qui s'amenuise, se rapetisse en un simple point.
Un point sans relief, un minuscule point dans l'univers cosmique.

# 93

# Eau trouble

J'APPRENDS à mieux discourir avec l'un, à fraterniser plus intimement avec l'autre.
Celui-ci commence tout juste son périple.
Pour lui aussi, c'est la conquête du monde.
L'excitation l'occupe encore.
Un matin, cependant, il disparaît en même temps que ma radio.

Celui-là me quémande l'hébergement.
Je lui offre le partage.

Le même soir, il s'évapore avec mon pécule.

La température est tropicale, la végétation, luxuriante.
Une rivière nous annonce, un peu plus en amont, tout au moins une cascade.
Incommodé lui aussi par la chaleur, cet importun-d'un-jour me rejoint sous la chute.
Il m'enlève le savon de la main.
Je ne reverrai ni la savonnette ni le compagnon de douche.
Un autre inconnu s'approche.
Il souhaite faire un bout de chemin avec moi, puis il me propose de partager la suite intégrale du trajet.
En retour, il m'offre sa compagnie, ses connaissances, son expérience.
Il souligne certains traits qui nous sont communs.
Il parle de fraternité.
Évoque une presque symbiose.
Il est vrai que certains points nous sont comparables.
La ressemblance comme la proposition me troublent.
Qu'attend-il vraiment de moi ?
La méfiance s'approche.
Je m'éloigne.

Je n'ai plus rien à donner.

# 94

# L'extase

JE cherche un visage, un faciès, un regard, si peu soit-il gémellaire.
Je frôle un homme à la voix douce et charmante.
Il porte chemise de soie et souliers fins.

Il m'invite à partager sa table, son rhum et ses tendres amis.

Je suis là, devant lui, en haillons, sans possession, sans demain.

Une pauvre main tendue, en espoir de pardon avant même d'avoir succombé.

L'instinct me saisit.

Je recule d'un pas.

– Le mal n'existe pas, objecte-t-il à ma résistance.

Tournant le regard vers l'horizon, il nous convie, ses éphèbes à poitrine glabre et moi, à l'extase suprême, à la communion des corps.

Sans place prévue pour l'esprit.

Ils insistent, m'empoignent, me tirent.

Je leur échappe de justesse.

À la fin, j'entre dans un cinéma sans étoile et m'y cloître pour la nuit.

# 95

# Béatitude

Au jour le jour, je m'effeuille.

Je me vide jusqu'à ne plus manger, ne plus bouger.

Jusqu'à ne plus rien posséder, aucun passeport, aucun bagage, rien ou presque.

Un visa périmé.

Une chemise ridée, un pantalon délavé, des sandales éculées et, tout au fond des poches, deux sous tout crasseux.

À cette fin, j'atteins paisiblement l'absence absolue de désir.

En dénuement accompli, j'ondule dans un total enivrement.

Bienheureux.

Être, sans être là tout à fait, à l'état pur, en un degré second.

Où, pour la première fois, le couvert n'est pas mis pour quiconque.

Un seul convive, un seul couvert.

Mais sans faim, sans nulle sensation d'appétit.

L'absence complète de denrées et la présence persistante de l'insomnie, complémentaires et euphorisantes, se rejoignent.

Toutes les deux s'amalgamant en un seul élément.

Je déploie cartes et compas.

J'accède illico et sans artifice aux portes du ravissement, de l'hallucinance.

Une félicité pour moi seul, à ne pas devoir partager sans crainte de trahir notre état gémellaire.

Une respiration nouvelle m'inspire.

Je vis à un double rythme, à celui de l'implosion et de l'explosion.

Tendre vers le microscopique et, simultanément, filer vers l'univers cosmique.

Un mélange à la fois de vide et de plénitude, exempt de toute contradiction.

Je plane de toute mon âme.

À la toute fin, je récupère mes esprits et régularise mon souffle.

# 96

# Silence

JE viens d'atteindre les limites de l'essentiel.

Impossible d'aller plus loin.
Un pas de plus et, c'est la chute.
Il me faut retourner à mes origines.
Je dois retrouver mon frère jumeau où qu'il soit.
Je me hâte.
En quelques jours, grâce à mon frère, l'aîné, je reviens.

Je remonte, les yeux bandés, vers le Nord, plein nord vers la source.

Aveugle à tout arrêt.
Même la dernière escale s'est révélée obscure.
Elle a bien duré une nuit.
Une nuit à circuler parmi une foule dense et hétéroclite.
Une nuit pour reprendre le pouls, oublié, d'une ville en effervescence.
Me resynchroniser avec mon hémisphère.
Rien de plus.

Je reviens vers les miens, riche de tout ce qu'on m'a ravi.

On me presse de tous côtés.
Je n'ai rien à raconter à quiconque.
Je ne sais rien.
Je n'ai rien vu.
Je ne suis allé nulle part, je le jure.
D'autant plus qu'il ne s'y est rien passé.
Rien !

Le tour du monde n'aura été qu'une allée simple à l'hémisphère austral.

# 97

# Rires

Couvert de silence, sans possession aucune, je récupère mon antre et m'y vautre secrètement.

Je garde tout pour moi seul.
Absolument tout ce que j'ai vu et fait, en propre exclusivité, au cours de ces derniers mois.
Chaque événement et réflexion me sont exclusivement réservés.
Je préserve, de cette façon, ma béatitude d'une éventuelle souillure.
Je me purifie de tout, entièrement, et de tous, sans exception, de l'autre y compris.

Les ultimes parcelles de gémellité étant extraites de mon corps, je divague singulier parmi les singuliers et singulières.
Je déambule de l'un à l'autre, avec l'une avec l'autre.

Au fil de mes nuits, mi-blanches mi-grises, j'en croise plus d'un, j'en accompagne certaines.
Le hasard, l'herbe tendre, une de ces nuits, je découvre une douceur incomparable.
L'âme utérine.

Nous dansons notre âge fou.
Nous exultons nos nuits.
Nous buvons sans fin à la même coupe.
Nous accédons au septième paradis et, parfois, l'artificialisons de possibles interdits.
Nous crions à tout venant notre extase.

Nous redécouvrons la ville et renommons les rues.
Créant à toute brise.

C'est le temps d'autant d'explosions de joie.
Nous nous enlaçons corps et âmes.
Nous faisons sans cesse gloire de la chair, du souffle
et de l'intellect de l'autre.

Nous ne sommes que l'autre, uniquement l'autre,
sans retenue.

# 98

# Télépathie

JE me réinscris à la télépathie.
Nous accédons à l'extra-sensoriel.
C'est le réveil de l'osmose, la redécouverte du
silence, du silence dans les mots et dans les gestes.
En effet, tout, ou presque, passe sans recours aux
dires.
C'est le retour du partage muet.
La déduction non plus l'induction n'y sont pour
quelque chose.
Tout se joue au niveau de l'intuition.
Un fluide télépathique passe en nous ne laissant
place ni à la tension ni à l'ambiguïté.

Alors s'installe en nous une sérénité, un calme
éthéré et limpide.
Parfois, il suffit d'un regard et la communication
s'établit.
Les intentions ainsi que les pensées se savent et
non se devinent.

Les gestes ne sont plus à poser.

Les mots se taisent, ils appartiennent à l'inutile.

En fait, les utiliserions-nous, ils relèveraient du déjà-entendu.

Nous vivons d'une ivresse débridée.

Un bien-être euphorisant.

Nous nous ouvrons ainsi à la plénitude du plaisir.

Un regard, une intuition commune, un rire qui éclate en même temps.

C'est une syntonie en mouvance.

Dépouillés de tout vêtement, de la moindre parure, auréolés de silence et d'éternité, nous moulons à chaque jour plus profondément nos corps l'un dans l'autre.

Nous fusionnons nos âmes.

Nous ne faisons qu'un.

Nous nous gémellisons.

Nos cœurs et nos souffles même se concordent.

Nous soudons de plus nos mémoires.

Pour moi, c'est la complétude retrouvée, avec la plus identique des jumelles bivitellines.

# 99

# Réclusion

PAR précaution, puis par pudeur, nous refermons discrètement les portes derrière nous.

Certains matins, nous tardons à ouvrir les volets.

Nous les verrouillons de plus en plus tôt le soir.

Nous circonscrivons de haies notre nid.

Reclus, cloîtrés.

Les amis ne sonnent guère à notre porte.
Nous ne nous en offusquons point.
Ils se raréfient.
Nous nous en réjouissons parfois.
D'ailleurs, nous n'avons pas demandé à les voir.
Nous ne sommes là pour personne.

Nous préservons, par tous les moyens, le noyau reconstitué.
Nous le préservons de toute influence, blanche, noire ou grise.
Nous parlons parfois de demain.
Déroulons alors quelques projets.

Une matinée de printemps, exultant de désir et bouillonnant d'ardeur, nos membres se gorgent de semence et éclatent vers la vie.

# 100

# Réaménagement

À QUELQUE temps de là, naît un être, contraint à la singularité éternelle.
L'enfant prend de plus en plus de place en nous et… entre nous.
Notre gémellité s'étiole un brin.
Nous réaménageons tout notre intérieur.

Au fil des événements, l'écart entre nous s'accentue.

L'enfant découvre l'autonomie.
Il se trouve de moins en moins avec nous.
Il laisse un vide grandir en nous.

Il se trouve des amis, des occupations, d'autres lieux.

Au grand jamais, il ne se plaint, ni de la solitude ni de sa singularité.

— Il doit les taire, nous confions-nous.

Alors, à voix basses, nous lui souhaitons un frère ou bien une sœur, qui sait, un presque jumeau?

Ce soir-là, nous nous retrouvons, une autre fois seuls, couchés un peu plus près l'un de l'autre, les corps arqués d'amour et de désir.

# 101

# Paradis perdu

PLUSIEURS soirs plus tard, un long cri éclate dans l'air.

Des larmes plein la voix, un nouveau corps s'accroche en vain à l'éden d'où il vient de surgir.

Épuisé, il s'endort.

Comme l'autre, il grandira comme il est né, seul.

J'assiste au jour le jour au spectacle de deux frères tramant, au prix de mille différends, leurs premiers liens de fraternité.

Nous ajoutons quelques puits de lumière à notre enceinte.

L'un après l'autre, les enfants nous déverrouillent les portes, nous ouvrent rideaux et fenêtres.

Ils affirment leur singularité.

Des singuliers qui doivent passer par les mots pour tout se dire, surtout l'essentiel.

Tout s'expliquer, aussi le futile.

Jamais ou presque le silence ne s'infiltre entre eux.

Ils sont trop loin l'un de l'autre.

En de maintes circonstances, je les surprends à se tisser une complicité, jamais une unicité.

Cependant, ils semblent bien vivre leur agémellité.

Ils s'absentent à l'occasion, sociabilisation oblige.

Nous restons seuls.

Nous désynchronisant un peu plus parfois.

# 102

# Asphyxie

À CHAQUE tombée de soir, un malaise, toujours plus accentué, s'immisce plus profondément entre nous deux.

Il ne porte pas encore de nom.

Il est là tout simplement.

Nous le sentons très bien nous cerner, nous assiéger de toutes parts.

Au saut du lit, une certaine solitude parfois nous envahit.

Je sens son âme comme sortir à l'occasion de mon corps.

Notre symbiose s'atrophie un brin.

À chaque geste, notre espace se rétrécit.

Il n'est nul mot sans qu'une nouvelle distance ne s'installe entre nous.

L'exiguïté nous oppresse, nous asphyxie.

Nous espérons un souffle frais, nouveau, un souffle libérateur.

Les communications crépitent.

Les messages ne se rendent plus.

Nous vivons à demi-mot notre première douce crise gémellaire.

# 103

# La foudre

Un matin, la lucidité éclate en nos têtes.

Une implacable vérité, toute nue, s'installe irrévocablement entre nous.

Un seul constat.

Depuis les premiers moments, une fusion trop restrictive et très isolante nous ulcère.

Un incisif verdict.

La désintégration s'impose.

La foudre tombe.

Nous explosons en mille bribes.

Nous éclatons en autant de particules diverses, disparates et hétérogènes.

La raison, toujours teintée de respect, peu à peu nous regagne et nous modifie l'âme.

Morceau par morceau, je vois ma sœur, mon âme utérine, vider mon corps, déménager mon âme.

Mes esprits s'embuent, se noient.

Je me ressaisis.

Livide, j'assiste et participe à la réédification de nos libertés.

Ma flamme jumelle se dissipant.

Je m'abandonne à mon remords, à celui de l'avoir entraînée dans une aventure gémellaire.

J'en suis seul responsable.

Mea maxima culpa.

La porte se referme lourdement sur une maison sans décor, sans meuble, sans rideau.

Je reste là avec un silence obscur et singulier sur le cœur.

Pour une autre fois et pour jamais, je me retrouve perdu, infiniment défait, dépouillé de moi-même, avec une seule âme à ne plus vouloir partager.

Ma jumelle a recouvré sa singularité, anéantissant conséquemment le noyau fusionnel.

Je souffre, l'âme demi-gémellaire, prête à s'éclater à tout moment dans l'absolu.

Je tangue, je m'effondre.

Je m'endeuille de crainte, couvert de remords, glacé d'effroi.

Je meurs.

# 104

# Résignation

J'ENTROUVE les paupières.

Je respire encore.

De toute évidence, mon corps et mon esprit ont donc refusé tout anéantissement.

Je reviens, ulcéré, aliéné de mon entière, intégrale et presque parfaite gémellité, lacéré de toutes parts, abandonné de tous.

Même la mort s'en est retournée.

Je me plonge alors, avec toute ma faiblesse, dans la résignation la plus extrême.

J'étais jumeau, me voici singulier.

Sans nul lien, le cordon sosoral, tel le fraternel, rompu.

Sans apparence, sans affiliation, sans enracinement, sans vie ou presque, comme prématurément flétri, voué à l'opprobre, voire à l'ignominie.

Jamais ou rarement, me suis-je retrouvé si loin de lui, si séparé de cet autre.


Je me retourne obstinément vers le néant, vers ce néant si maintenant teint de soumission.

Je prie néanmoins ce non-être.

Lui parle de naissance, de survivance, de lendemain, de surlendemain, de résurrection.

Et pourquoi pas de résurgence ?

Je ferme les yeux pour me mettre au secours du monde extérieur.

Un signe, comme une invite, tel un abord, se révélerait bientôt sans nulle équivoque.

Il ne devrait trop tarder.


L'espoir est permis.

# 105

# Absence


Je semble hésiter à me raccrocher à la vie.

Oui, je viens d'échapper à la mort et m'y cramponne pourtant encore plus désespérément.

Fasciné et attiré par le néant, le vide, l'absence.

C'est ainsi, je n'y peux rien.

J'apprivoise peu à peu, lumière et décor.

Le bruit est absent.

Une salle, quiète et limpide.

Personne, pas même un jumeau, pour m'accueillir.

Cent questions, mille doutes, un million de suppositions se bousculent les unes contre les autres.

Un nombre incalculable de réponses émergent.

Toutes en désordre, sans sens.

J'en appelle à une structure, à une logique.

Des premiers jalons s'annoncent, surgissent, s'imposent, s'entremêlent.

Je ne m'y retrouve guère.

Il faut que je me reprenne.

Ailleurs.


J'en suis à peine à me restituer.

Déjà, je sens un autre malaise, plus lourd encore, m'envahir, m'appesantir.


Il n'y aura donc jamais de repos.


# 106

# Hologramme


VAGUE d'abord, cette douleur s'amplifie au point de saisir tout mon corps et d'obnubiler entièrement mon esprit.

Me voilà subjugué par ce nouveau mal.

Je me mets à l'écoute.

Jamais, telle sensation ne m'a habité auparavant si intensément.


J'entends une douleur me transpercer.

Puis couler en moi.

Je la suis, repli par repli, jusqu'aux organes les plus discrets. Cette douleur ne cesse de me miner.

J'ai mal, je ne sais où, partout et nulle part, mais j'ai un mal certain.

C'est une présence intensive, une usurpation générale.

La santé comme prise en gage.

Physique et morale, cette souffrance m'arrache cris et larmes.

Simultanément, mon esprit me projette l'image de l'autre.

L'hologramme de ce lointain frère.

Je ne comprends pas.

Je ne comprends en rien cette présence, à chaque seconde plus obsédante, plus stridente.

Soudain, j'entrevois un lien incontestable entre cette douleur et ma troublante vision, l'expression de... l'inattendu.

L'émergence inespérée de la symbiose.

# 107

## Le retour

ALORS, je vois poindre une lumière, d'abord blafarde, puis de moins en moins tamisée.

À l'horizon, plus loin que les nuages, une ombre telle un être éthéré, issue du néant, surgit.

Ou est-ce un reflet qui s'allume ?

Je vois cette auréole s'avancer sans hâte, s'approcher tout près, se pencher jusqu'à se coucher sur moi.

Lentement m'envelopper, puis me pénétrer.

Je reconnais cette ombre.
J'accepte d'emblée la sensation qu'elle me procure.
C'est l'émanation de la vie, le retour de l'âme, celle à l'épreuve de tout, même de l'oubli, celle capable de tout, entre autres de rédemption.
Le retour de mon jumeau.
Je n'ai ni le temps de l'accueillir ni celui de récupérer mes esprits.
Je n'ai non plus le temps de crier son existence, ni celui d'étaler notre ressemblance.
Le moment n'est pas à la reconnaissance.
L'état d'urgence de tous bords.
Juste le temps de fusionner nos âmes, juste le temps de connecter nos corps.
Je ferme les yeux.
Je m'imprègne de son être, de son âme.

# 108

# Réveil

JE récupère un à un mes esprits.
Je ne suis plus seul.
Une douce respiration, comme un intime souffle, me réchauffe la nuque.
Je sens son corps tout contre mon corps, une présence familière et enveloppante.

Nous soulevons une à une nos paupières.
Nous sommes là, étroitement lovés l'un dans l'autre.

Toutes nos parties pour toujours réhabilitées, à jamais reconnectées.

Deux frères, sans retour, identiques, fondus.

Deux corps, jusqu'à la fin des siècles, mus par une seule et unique âme.

*Hull, 4 mai 1996*

# Table des matières

1.  Le refus ................................................. 9
2.  Stupéfaction ............................................ 10
3.  Mille reflets ........................................... 11
4.  La dérive ............................................... 12
5.  Urgence ................................................. 13
6.  Simultanéité ............................................ 14
7.  La distinction .......................................... 15
8.  Encensement ............................................. 16
9.  L'infirmière ............................................ 18
10. Renaissance ............................................. 19
11. Désordre ................................................ 20
12. Détresse ................................................ 21
13. Exploration ............................................. 22
14. Sans préavis ............................................ 23
15. Synchronisme ............................................ 24
16. Jeu d'adresse ........................................... 25
17. Le coffre-fort .......................................... 26
18. Innocence ............................................... 27
19. L'école ................................................. 28
20. Poste d'observation ..................................... 29
21. Les lettres ............................................. 30
22. À chacun son tour ....................................... 31
23. Les cerveaux ............................................ 32
24. Simple appréhension ..................................... 33
25. Insertion ............................................... 34
26. Hermétisme .............................................. 35
27. Droit au jeu ............................................ 36
28. Activités ............................................... 37
29. Inédit .................................................. 38
30. Compétition ............................................. 39

31.  Rivalité ................................................. 40
32.  Proclamation .......................................... 41
33.  L'année mariale ...................................... 43
34.  Pèlerinage ............................................. 44
35.  Chérubins .............................................. 45
36.  Comparaisons ......................................... 46
37.  Faux jumeau .......................................... 47
38.  Dégémellisation ...................................... 48
39.  La messe .............................................. 49
40.  Visite paroissiale ................................... 50
41.  Équilibre .............................................. 51
42.  Fuite .................................................... 52
43.  Notoriété .............................................. 53
44.  Vie sociale ............................................ 54
45.  Illusion ................................................ 55
46.  Zéro absolu ........................................... 56
47.  La vérité .............................................. 58
48.  Syndrome .............................................. 58
49.  Gouffre ................................................ 60
50.  Culpabilité ............................................ 61
51.  L'usine ................................................ 62
52.  Les rôles ............................................. 63
53.  Couperet .............................................. 64
54.  Coude contre coude ................................ 65
55.  Les malles ............................................ 66
56.  Départ ................................................. 67
57.  Le collège ............................................ 68
58.  Adieu .................................................. 69
59.  Disjonction ........................................... 70
60.  Néant .................................................. 71
61.  Hibernation ........................................... 72
62.  Amnésie ............................................... 73
63.  Ombres et murmures ............................... 74
64.  Paralysie .............................................. 75
65.  Éclipse ................................................ 76
66.  Séisme ................................................ 77

67. Égarement ..................................................... 78
68. Naissance ..................................................... 78
69. La certitude .................................................. 79
70. Fusion ........................................................ 80
71. Quiétude ...................................................... 81
72. Initiation ..................................................... 82
73. La tentation .................................................. 83
74. La soif ....................................................... 84
75. Échange ....................................................... 85
76. Sans tain ..................................................... 86
77. Dépouillement ................................................. 87
78. Le parloir .................................................... 88
79. Visite ........................................................ 88
80. Politesse oblige .............................................. 90
81. L'ubiquité .................................................... 91
82. Syllogisme .................................................... 92
83. Reconduite .................................................... 93
84. Sans écho ..................................................... 94
85. Mirages ....................................................... 95
86. Effroi ........................................................ 96
87. Jeu d'erreurs ................................................. 97
88. Sens unique ................................................... 98
89. À l'écoute .................................................... 99
90. Sans réponse ................................................. 100
91. Périple ...................................................... 101
92. En amont ..................................................... 102
93. Eau trouble .................................................. 103
94. L'extase ..................................................... 104
95. Béatitude .................................................... 105
96. Silence ...................................................... 106
97. Rires ........................................................ 108
98. Télépathie ................................................... 109
99. Réclusion .................................................... 110
100. Réaménagement ............................................... 111
101. Paradis perdu ............................................... 112
102. Asphyxie .................................................... 113

103. La foudre ........................................................ 114
104. Résignation .................................................... 115
105. Absence ......................................................... 116
106. Hologramme .................................................. 117
107. Le retour ....................................................... 118
108. Réveil ............................................................ 119

Infographie :
Éditions Vents d'Ouest (1993) inc.
Hull

Négatifs de la page couverture :
Imprimerie Gauvin ltée
Hull

Impression et reliure :
AGMV inc.
Cap-Saint-Ignace

Achevé d'imprimer en septembre
mil neuf cent quatre-vingt-seize

Imprimé au Québec (Canada)